CU00649485

汉字本

Moon Tan
Ying Fu
Oliver Zheng

华语教学出版社
SINOLINGUA

Every effort has been made to trace all copyright holders, but if any have been inadvertently overlooked the Publishers will be pleased to make the necessary arrangements at the first opportunity.

Workbook for Chinese Character Writing

Compiled by
Moon Tan
Ying Fu
Oliver Zheng

Editor: Shurong Zhai, Ranran Du
Cover Design: Beijing Graphic Design Printing Textile Co. Ltd.

First published in Great Britain in 2010 by **Sinolingua London Limited.**
Unit 13, Park Royal Metro Centre
Britannia Way
London NW10 7PA

Tel: (44) 020 84530687
Fax: (44) 020 84530709

Visit our website at www.cypressbooks.com

All rights reserved. No part of this publication may be reproduced or transmitted by any means, electronic, mechanical, photocopying or otherwise, without the prior permission of the publisher.

Printed in China

User Guide

This workbook is for anyone who is new to writing Chinese characters. The 300 basic characters in this book will cover the most essential words needed for daily communication. The main characteristic of this workbook is that apart from the model characters that are written with their stroke orders clearly marked, there is also a lot of practice space for learners to utilise. Model characters are printed on the first line for learners to trace; the second line is left blank for them to use as practice space.

At the back of the workbook, ready-made flash cards for 150 words are provided, with one side showing a character, and the other side showing its pinyin and English definition. All the cards are numbered, and easy to use with other students and teachers. The flash cards are useful in helping learners recognise and practise using characters; additionally, activities such as rearranging sentence structures, and creating crosswords, can be played using these cards. Learners are encouraged to make their own cards when required. We believe the workbook will be very helpful for both learners and teachers, and we hope that everyone enjoys using this resource.

Learning Chinese characters can be fascinating and great fun. Enjoy!

Moon Tan, Ying Fu, Oliver Zheng
July 2009

CONTENS

目 录

Strokes of Chinese Characters
Rules of Stroke Order

汉字笔划 · 笔顺规则

hànzì　　bǐhuà　　　bǐshùn　guīzé

Chinese Characters

(1) Strokes

All Chinese characters are composed of strokes. Here are the basic ones.

	Stroke	Writing	Example
1	一	A horizontal stroke, from left to right	二
2	丨	A stroke, from top to bottom	十
3	丿	A diagonal stroke, from the top to the lower left corner	八
4	＼	A horizontal stroke, falling from the top to the lower right corner	人
5	、	A dot, toward the lower right	六
6	乛	A bending stroke, from left to right and then turning downwards	口
7	乙	A hook, that usually continues on from another stroke	九
8	⟋	A diagonal stroke, from the lower left to the upper right	习

(2) Rules of stroke order

When writing Chinese characters, there is a stroke order to follow.
The correct stroke order to use when writing Chinese characters follows the seven basic rules below.

	Rules	Examples	Stroke order
1	Strokes move from left to right; From top to bottom	三	一　二　三
2	The horizontal precedes the vertical	十	一　十
3	Left-falling strokes precede right-falling strokes	人	丿　人
4	Strokes move from left to right	从	丿　人　从　从
5	Strokes move from top to bottom	众	丿　人　今　今　分　众
6	Strokes move from the outside to the inside	月	丿　刀　月　月
7	Inside strokes precede the sealing stroke	日	丨　冂　日　日
8	Middle strokes precede the two side strokes	小	亅　小　小
9	Cutting strokes come last	中	丶　冂　口　中

This page is a practice exercise for using the above rules (Chinese numbers 1-10). Have fun!

一 yī	一	一	一	一	一	一	一
二 èr	二	二	二	二	二	二	二
三 sān	三	三	三	三	三	三	三
四 sì	四	四	四	四	四	四	四
五 wǔ	五	五	五	五	五	五	五
六 liù	六	六	六	六	六	六	六
七 qī	七	七	七	七	七	七	七
八 bā	八	八	八	八	八	八	八
九 jiǔ	九	九	九	九	九	九	九
十 shí	十	十	十	十	十	十	十

300 Basic Chinese Characters

基本汉字(300个)

jībēn   hànzì   (sānbǎi gè)

 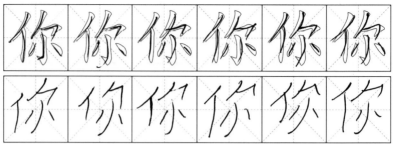

nǐ

 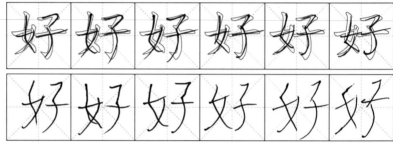

hǎo

 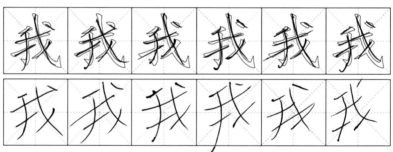

wǒ

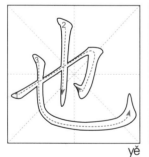 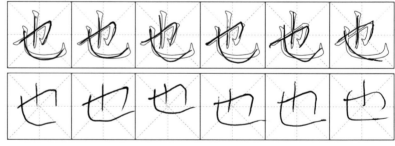

yě

hěn

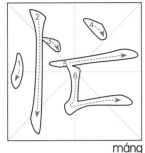
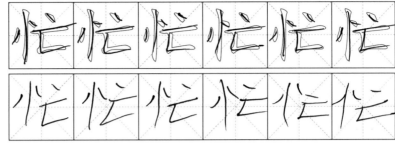

máng

tā

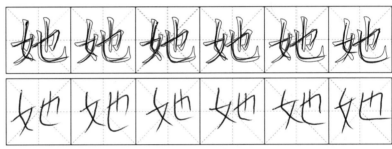

tā

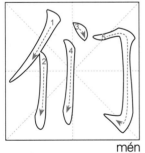
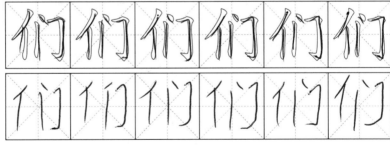

mén

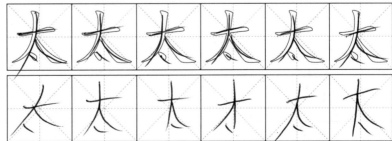

tài

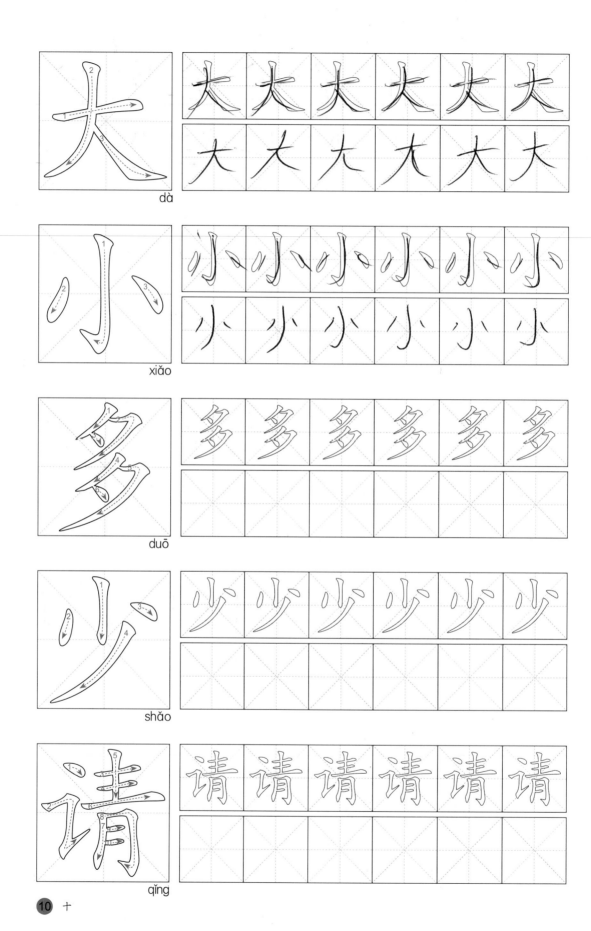

大 dà

小 xiǎo

多 duō

少 shǎo

请 qǐng

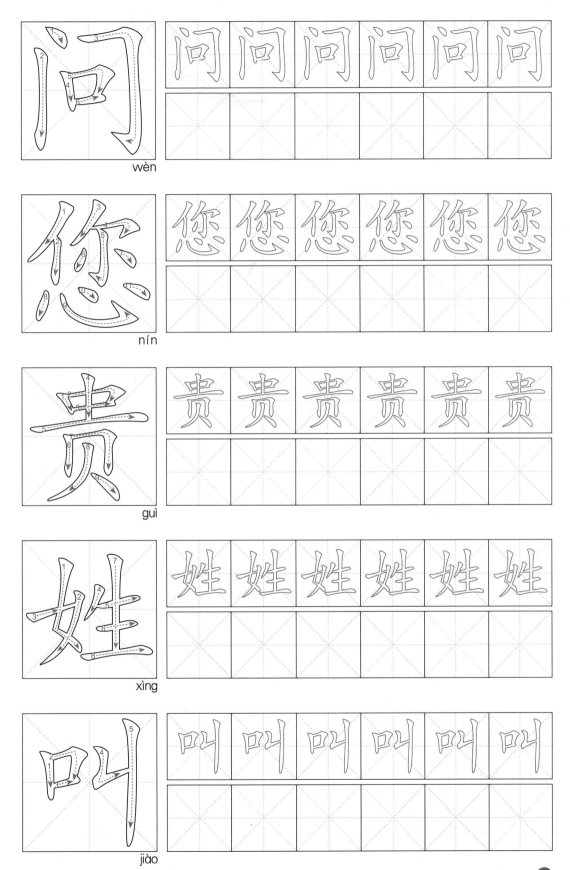

问 wèn

您 nín

贵 guì

姓 xìng

叫 jiào

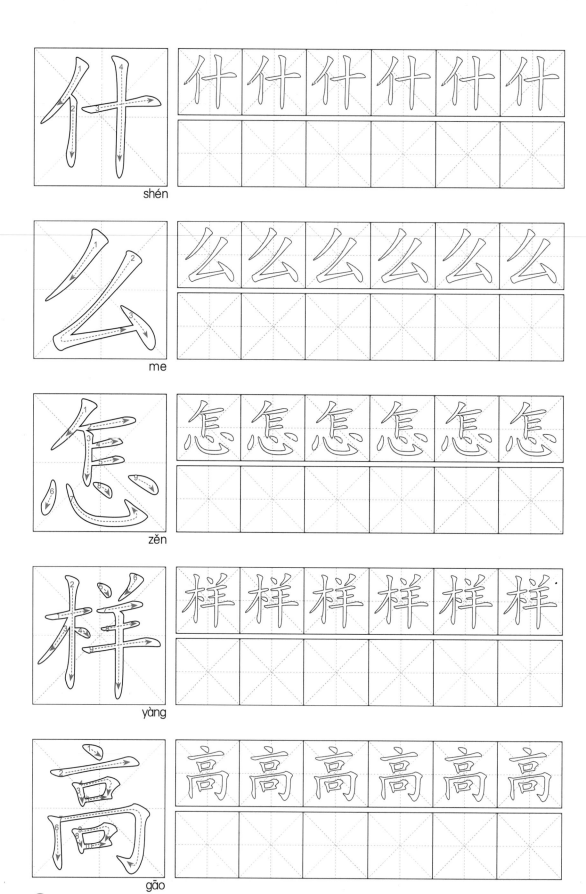

什 什 什 什 什 什 什
shén

么 么 么 么 么 么 么
me

怎 怎 怎 怎 怎 怎 怎
zěn

样 样 样 样 样 样 样
yàng

高 高 高 高 高 高 高
gāo

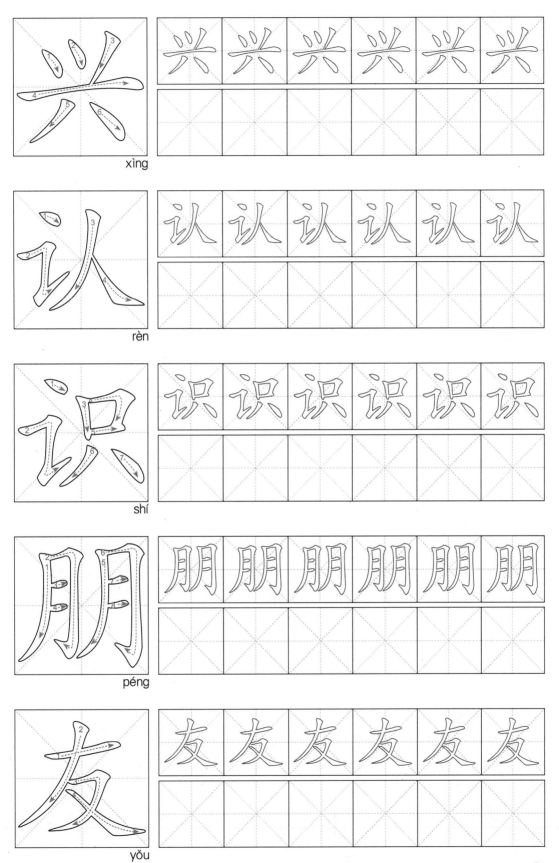

兴 兴 兴 兴 兴 兴
xìng

认 认 认 认 认 认
rèn

识 识 识 识 识 识
shí

朋 朋 朋 朋 朋 朋
péng

友 友 友 友 友 友
yǒu

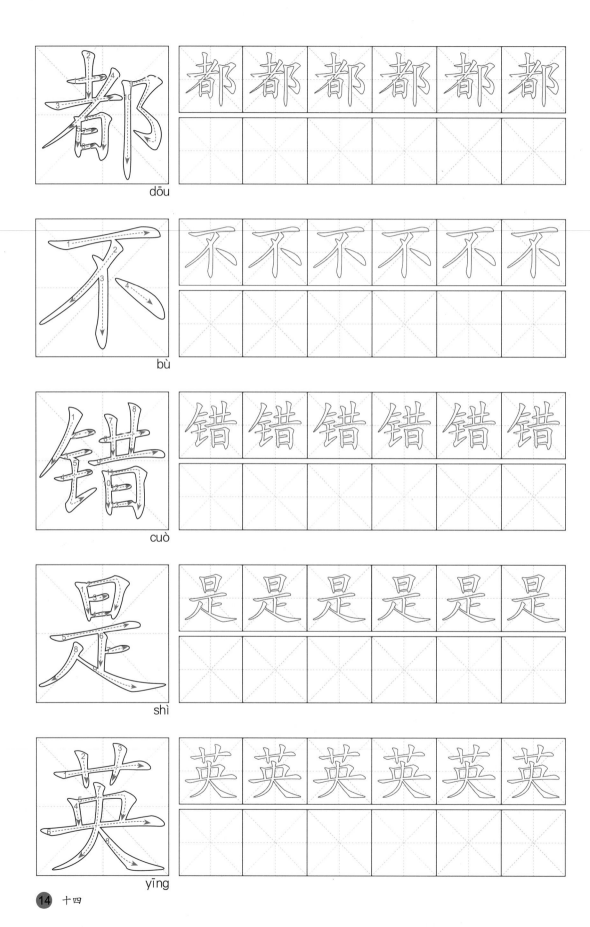

都 都 都 都 都 都
dōu

不 不 不 不 不 不
bù

错 错 错 错 错 错
cuò

是 是 是 是 是 是
shì

英 英 英 英 英 英
yīng

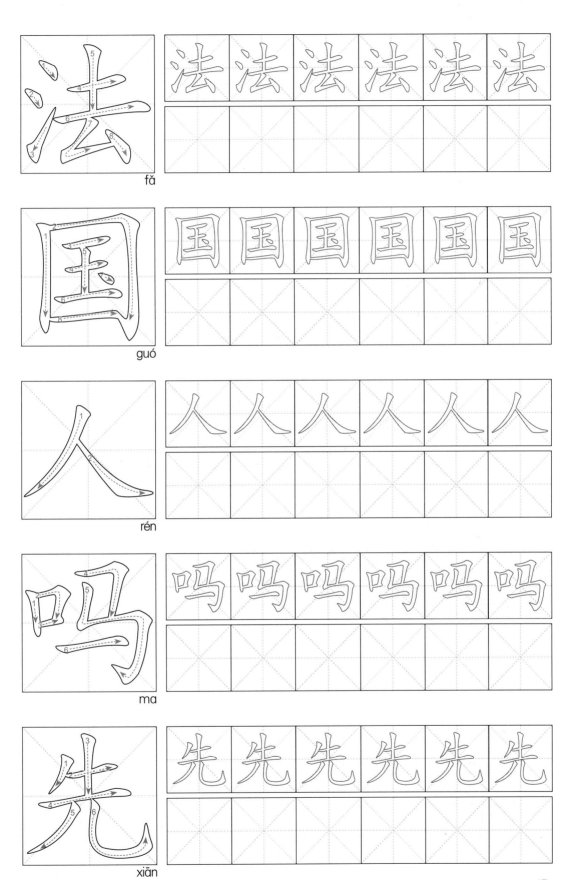

法 法 法 法 法 法

fǎ

国 国 国 国 国 国

guó

人 人 人 人 人 人

rén

吗 吗 吗 吗 吗 吗

ma

先 先 先 先 先 先

xiān

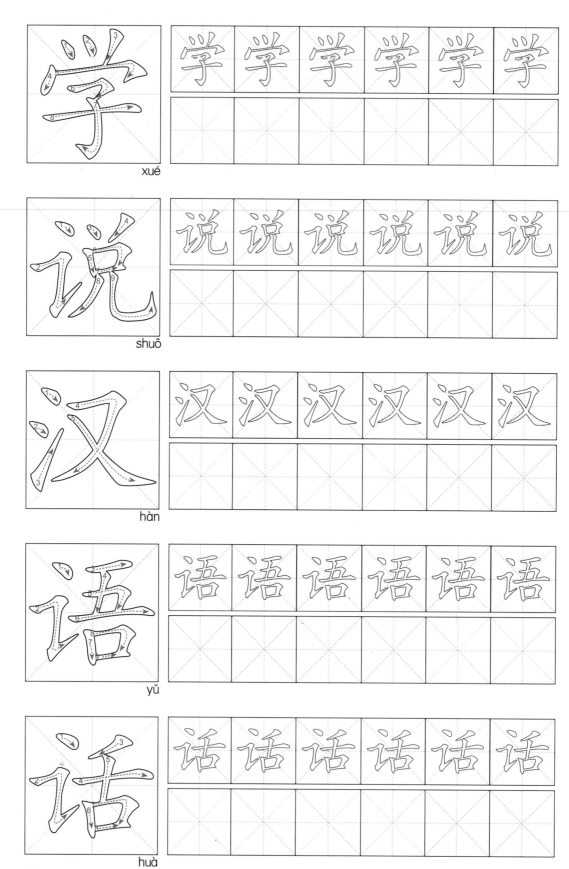

学 学 学 学 学 学 学

xué

说 说 说 说 说 说 说

shuō

汉 汉 汉 汉 汉 汉 汉

hàn

语 语 语 语 语 语 语

yǔ

话 话 话 话 话 话 话

huà

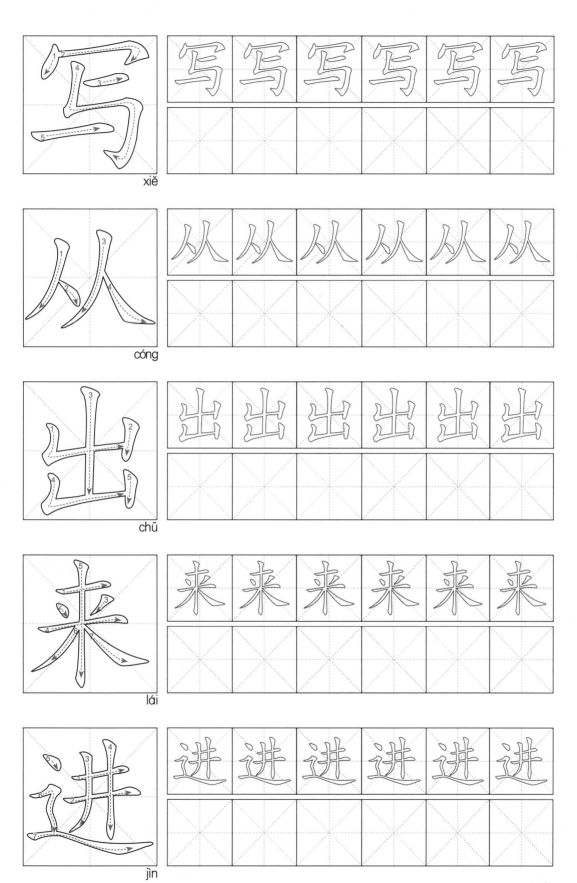

写 写 写 写 写 写

xiě

从 从 从 从 从 从

cóng

出 出 出 出 出 出

chū

来 来 来 来 来 来

lái

进 进 进 进 进 进

jìn

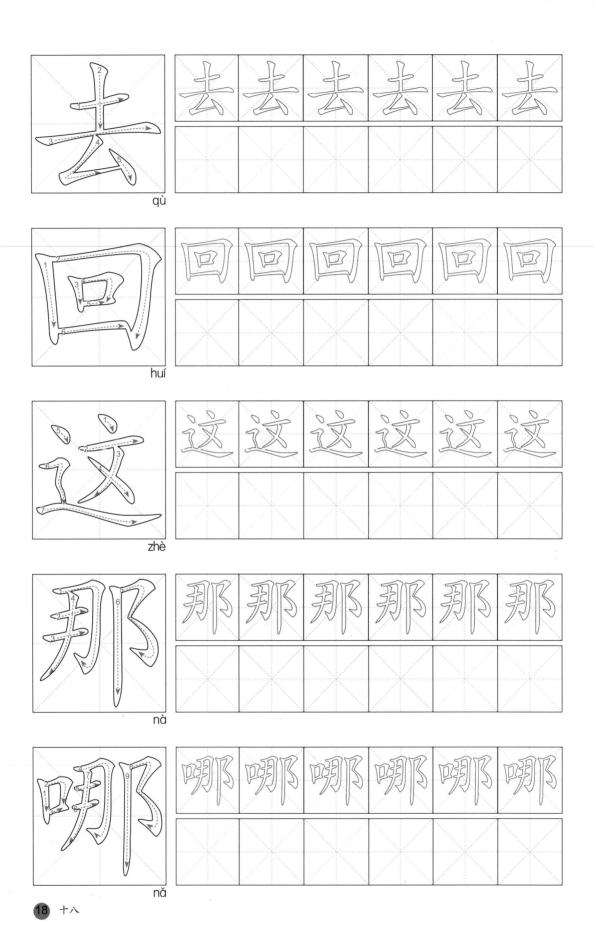

去 去 去 去 去 去

qù

回 回 回 回 回 回

huí

这 这 这 这 这 这

zhè

那 那 那 那 那 那

nà

哪 哪 哪 哪 哪 哪

nǎ

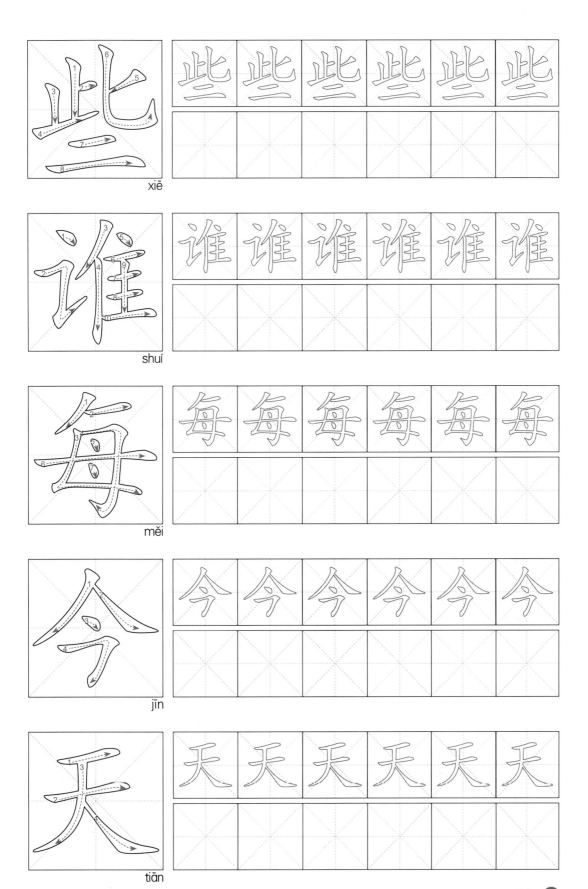

些 些 些 些 些 些

xiē

谁 谁 谁 谁 谁 谁

shuí

每 每 每 每 每 每

měi

今 今 今 今 今 今

jīn

天 天 天 天 天 天

tiān

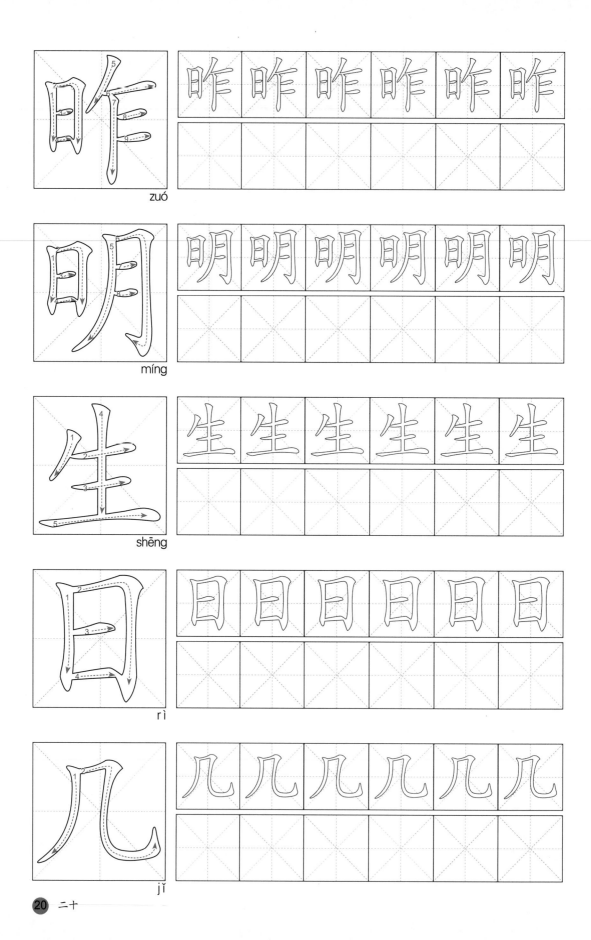

昨 zuó

明 míng

生 shēng

日 rì

几 jǐ

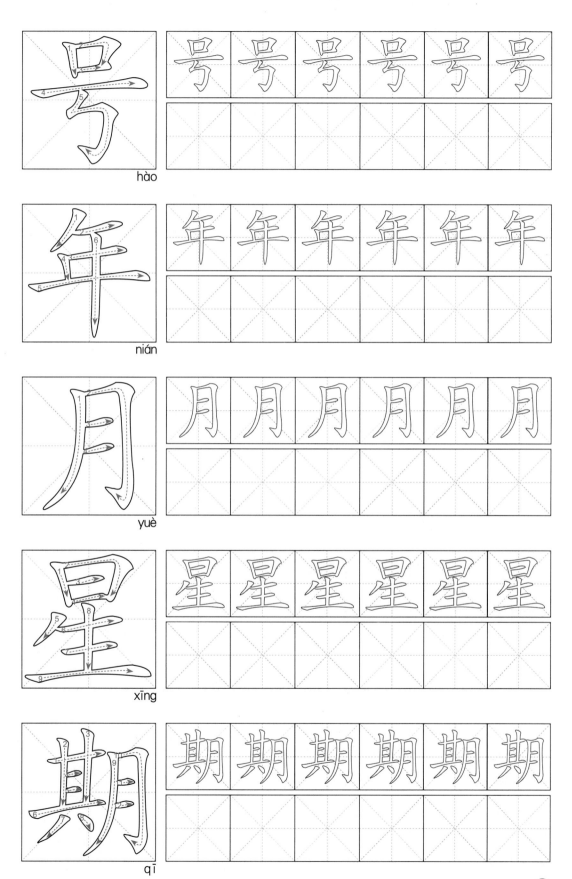

号 号 号 号 号 号
hào

年 年 年 年 年 年
nián

月 月 月 月 月 月
yuè

星 星 星 星 星 星
xīng

期 期 期 期 期 期
qī

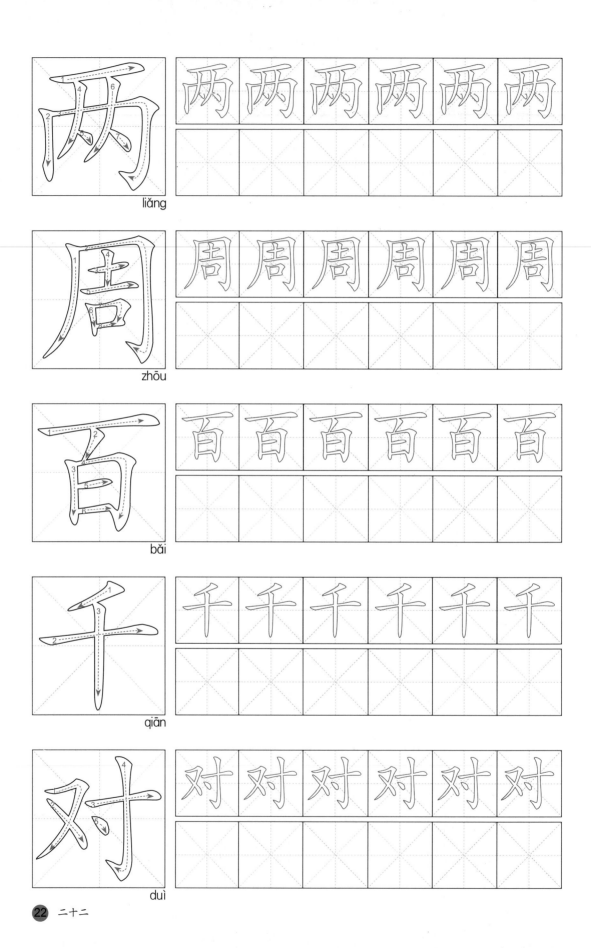

两 两 两 两 两 两

liǎng

周 周 周 周 周 周

zhōu

百 百 百 百 百 百

bǎi

千 千 千 千 千 千

qiān

对 对 对 对 对 对

duì

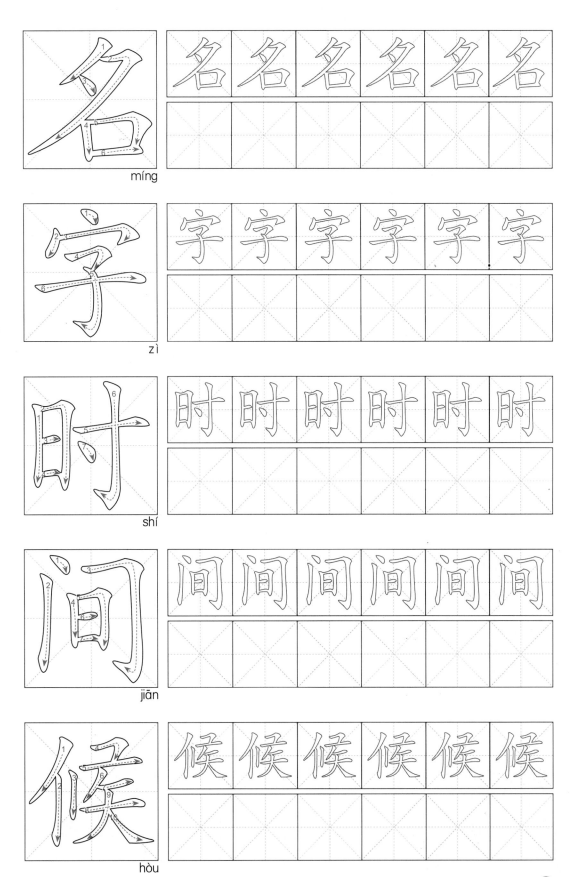

名
míng

字
zì

时
shí

间
jiān

候
hòu

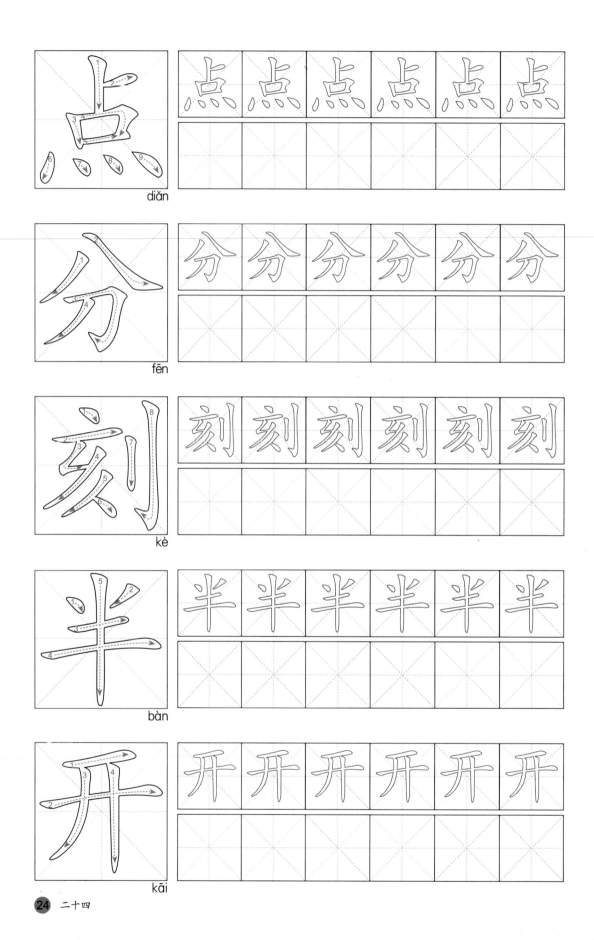

点 diǎn

分 fēn

刻 kè

半 bàn

开 kāi

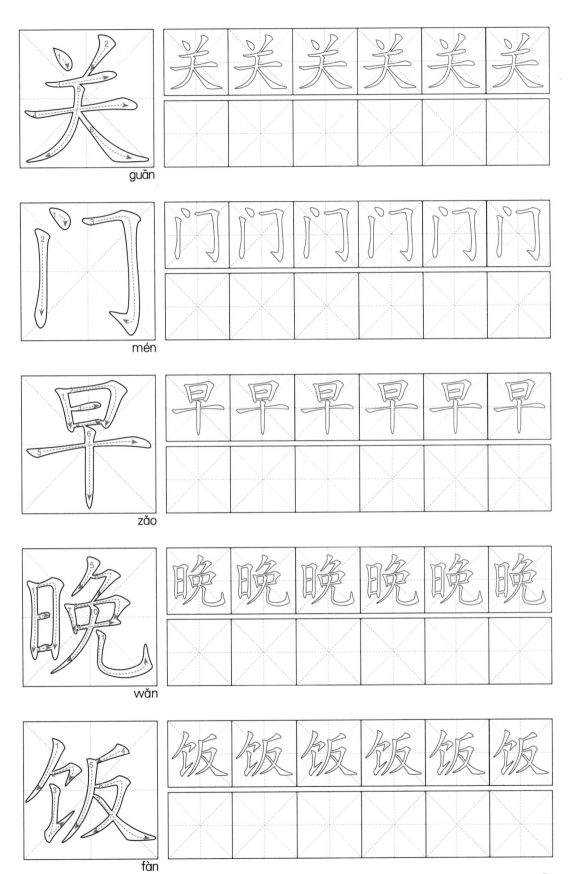

关　关　关　关　关　关　关

guān

门　门　门　门　门　门　门

mén

早　早　早　早　早　早　早

zǎo

晚　晚　晚　晚　晚　晚　晚

wǎn

饭　饭　饭　饭　饭　饭　饭

fàn

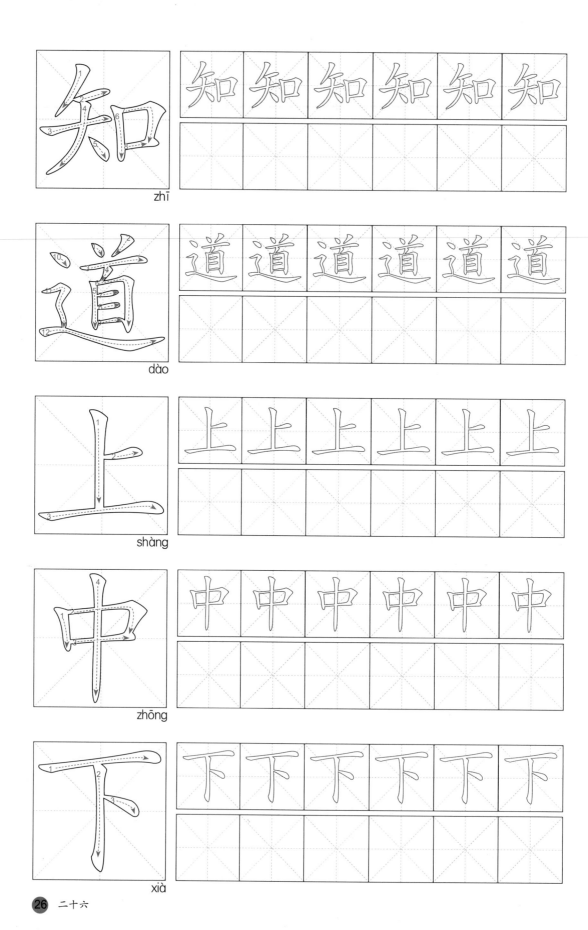

知 知 知 知 知 知 知

zhī

道 道 道 道 道 道 道

dào

上 上 上 上 上 上 上

shàng

中 中 中 中 中 中 中

zhōng

下 下 下 下 下 下 下

xià

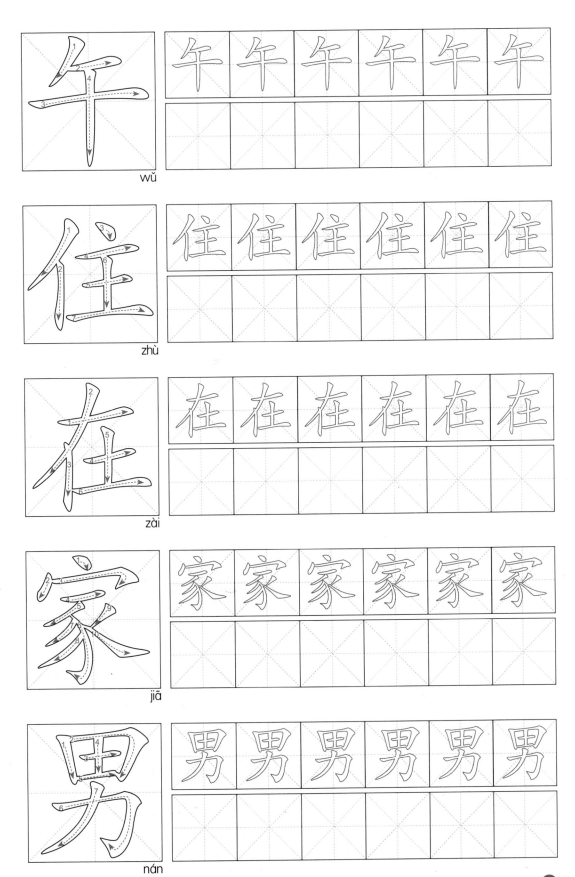

午 午 午 午 午 午

wǔ

住 住 住 住 住 住

zhù

在 在 在 在 在 在

zài

家 家 家 家 家 家

jiǎ

男 男 男 男 男 男

nán

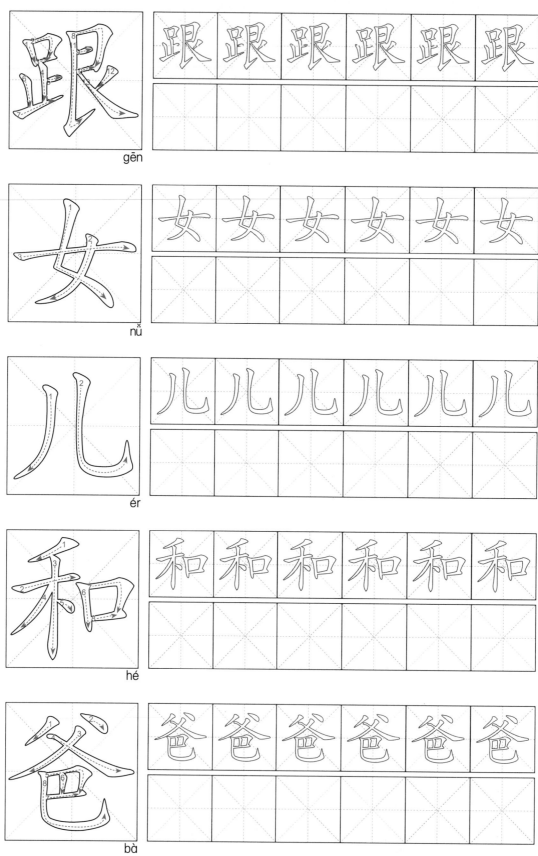

gēn

nǚ

ér

hé

bà

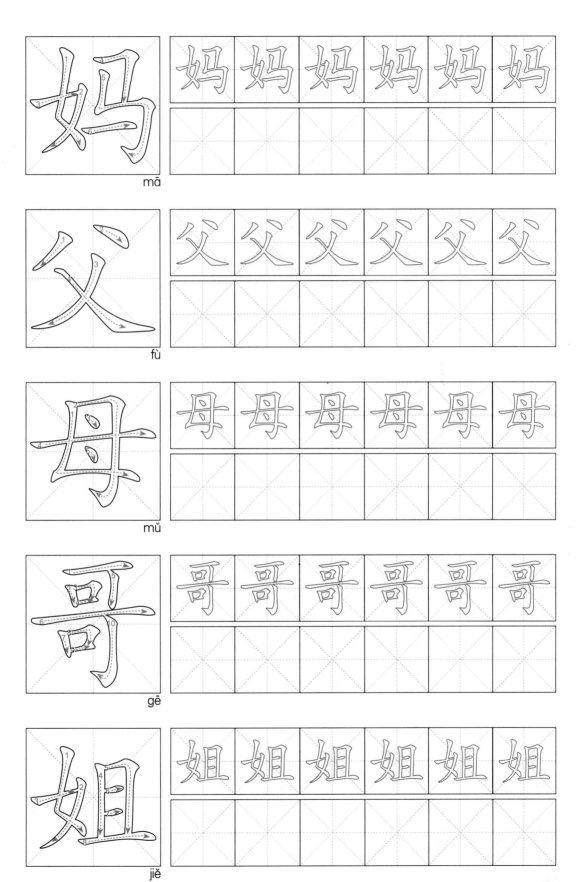

妈 妈 妈 妈 妈 妈

mā

父 父 父 父 父 父

fù

母 母 母 母 母 母

mǔ

哥 哥 哥 哥 哥 哥

gē

姐 姐 姐 姐 姐 姐

jiě

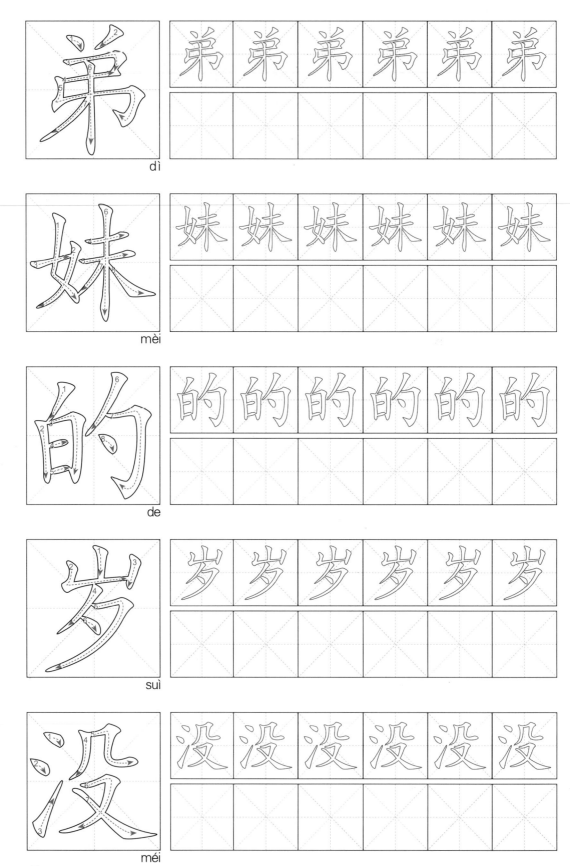

弟　弟　弟　弟　弟　弟

dì

妹　妹　妹　妹　妹　妹

mèi

的　的　的　的　的　的

de

岁　岁　岁　岁　岁　岁

suì

没　没　没　没　没　没

méi

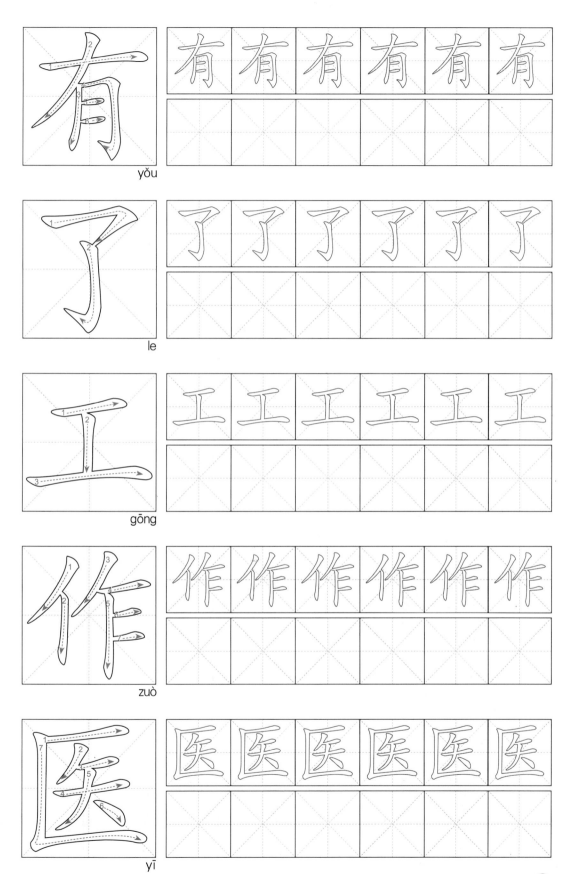

有　有　有　有　有　有

yǒu

了　了　了　了　了　了

le

工　工　工　工　工　工

gōng

作　作　作　作　作　作

zuò

医　医　医　医　医　医

yī

院 院 院 院 院 院

yuàn

班 班 班 班 班 班

bān

课 课 课 课 课 课

kè

老 老 老 老 老 老

lǎo

师 师 师 师 师 师

shī

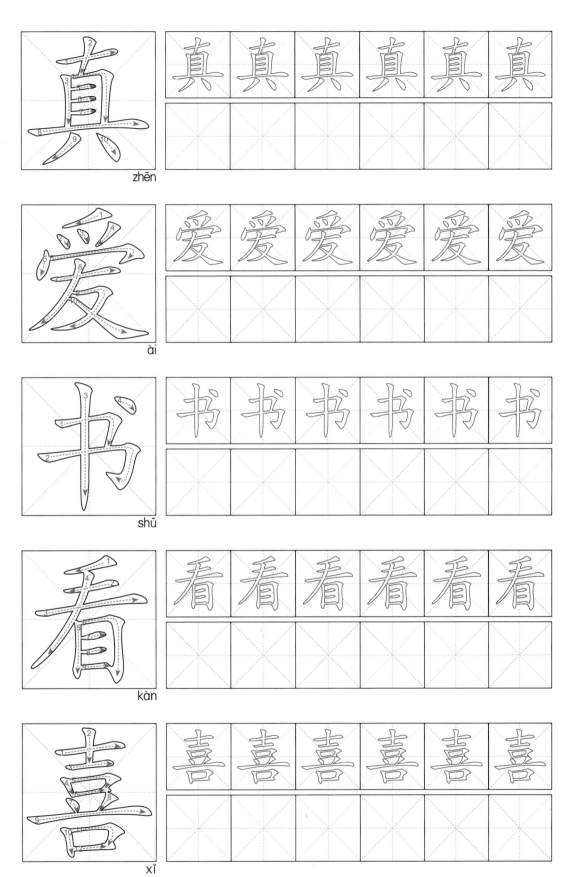

真 真 真 真 真 真

zhēn

爱 爱 爱 爱 爱 爱

ài

书 书 书 书 书 书

shū

看 看 看 看 看 看

kàn

喜 喜 喜 喜 喜 喜

xǐ

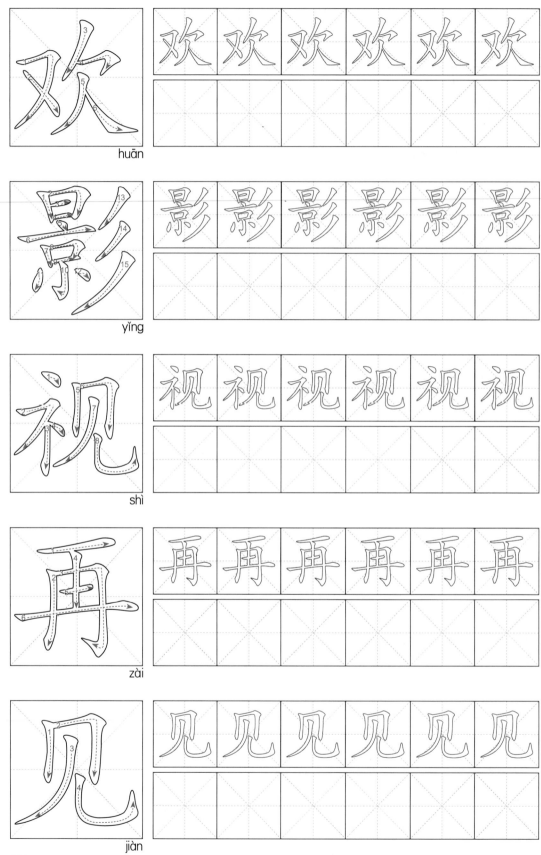

欢　欢　欢　欢　欢　欢
huān

影　影　影　影　影　影
yǐng

视　视　视　视　视　视
shì

再　再　再　再　再　再
zài

见　见　见　见　见　见
jiàn

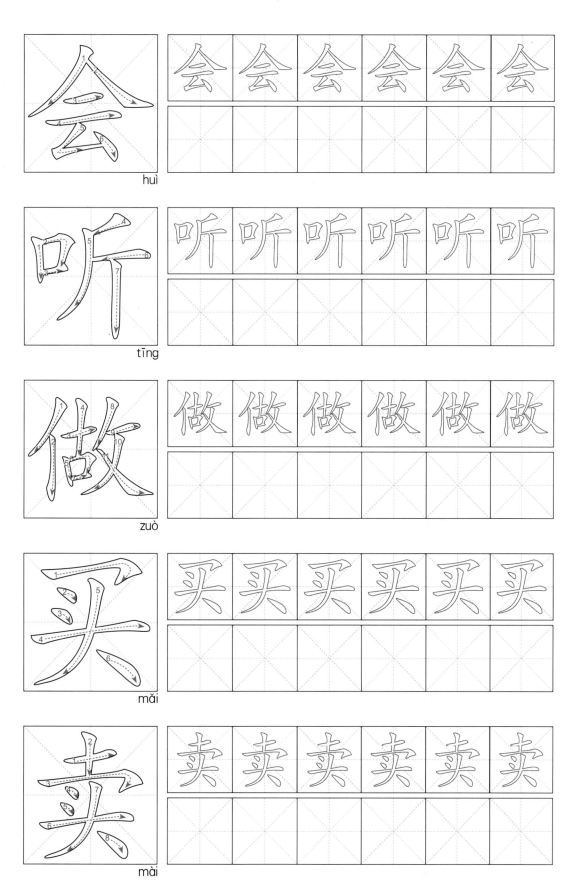

会	会	会	会	会	会

huì

听	听	听	听	听	听

tīng

做	做	做	做	做	做

zuò

买	买	买	买	买	买

mǎi

卖	卖	卖	卖	卖	卖

mài

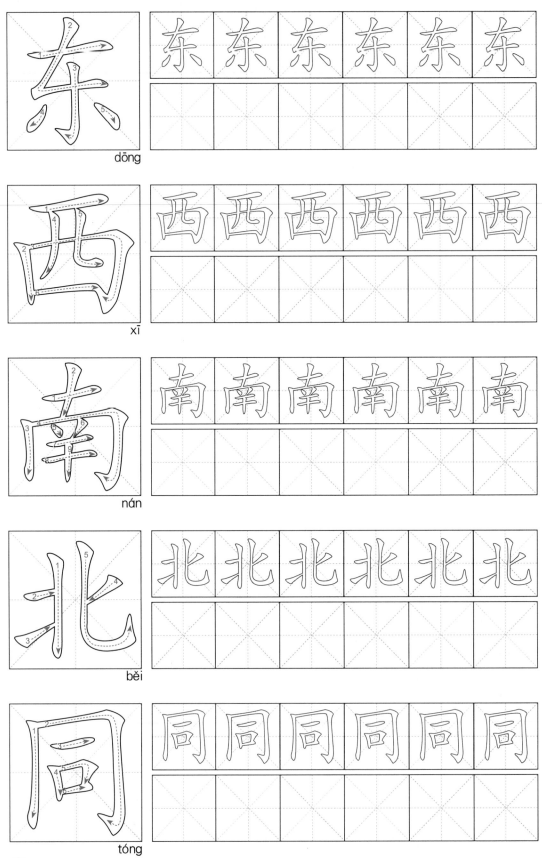

东 东 东 东 东 东

dōng

西 西 西 西 西 西

xī

南 南 南 南 南 南

nán

北 北 北 北 北 北

běi

同 同 同 同 同 同

tóng

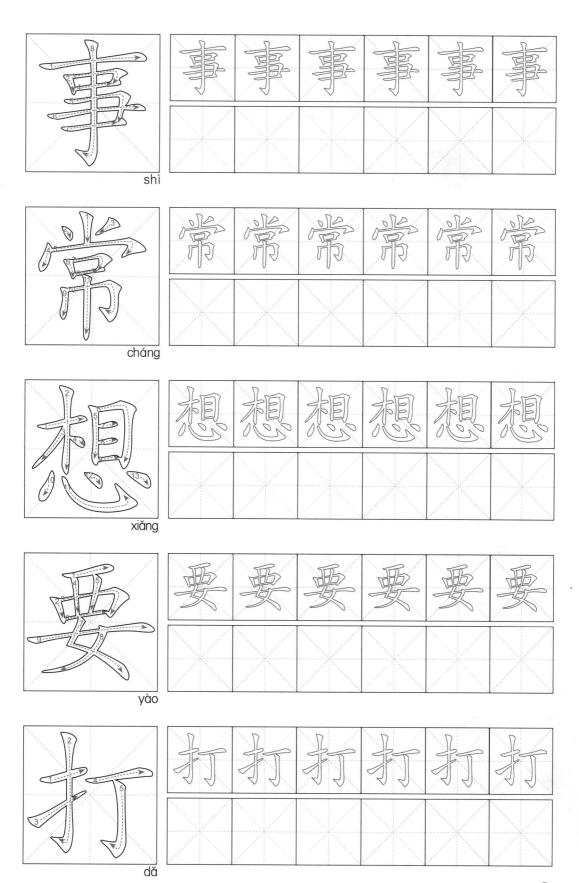

事 事 事 事 事 事 事

shì

常 常 常 常 常 常 常

cháng

想 想 想 想 想 想 想

xiǎng

要 要 要 要 要 要 要

yào

打 打 打 打 打 打 打

dǎ

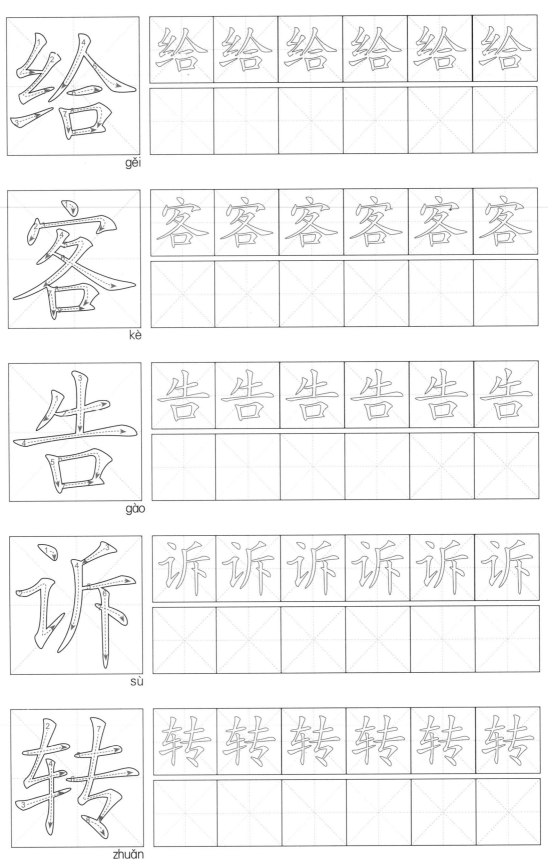

给 gěi

客 kè

告 gào

诉 sù

转 zhuǎn

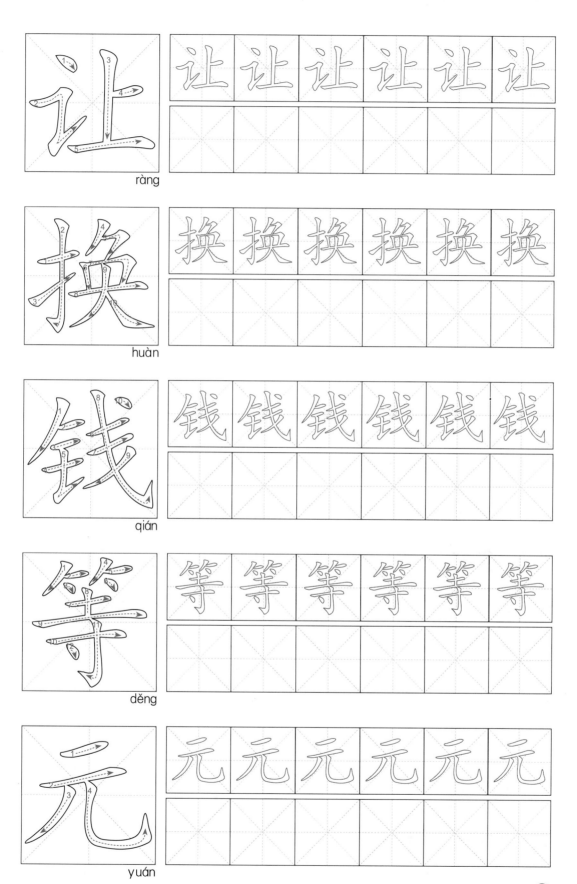

让 ràng

换 huàn

钱 qián

等 děng

元 yuán

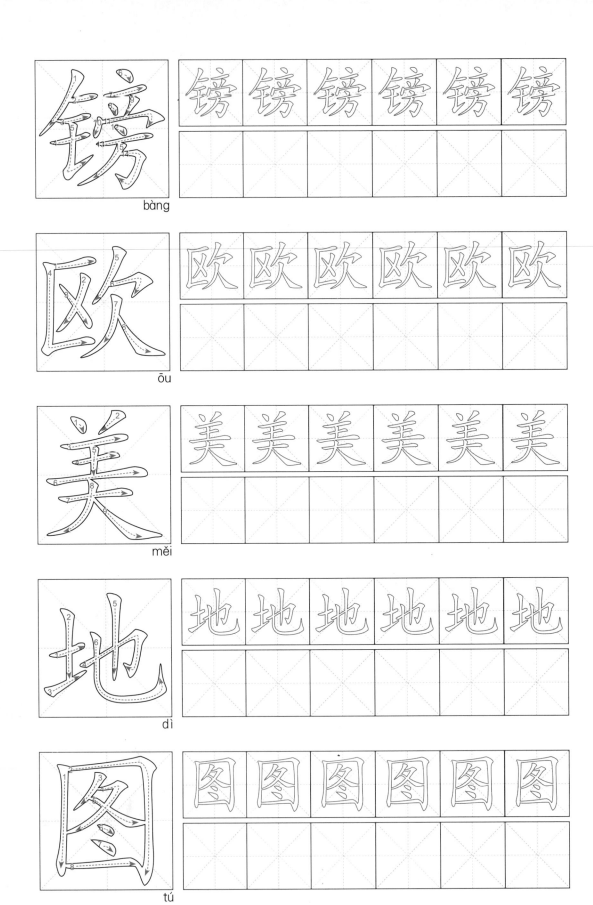

镑 镑 镑 镑 镑 镑

bàng

欧 欧 欧 欧 欧 欧

ōu

美 美 美 美 美 美

měi

地 地 地 地 地 地

dì

图 图 图 图 图 图

tú

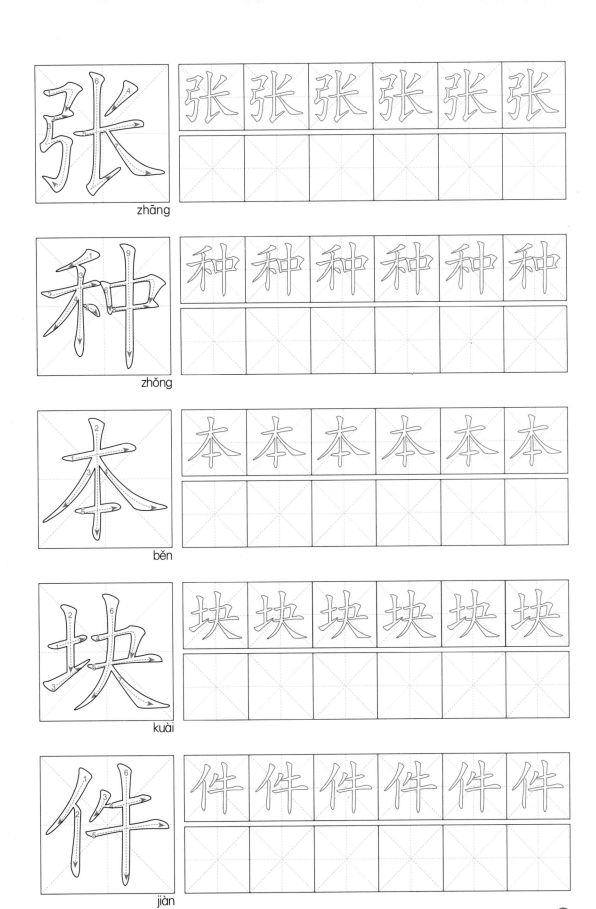

张 zhāng

种 zhǒng

本 běn

块 kuài

件 jiàn

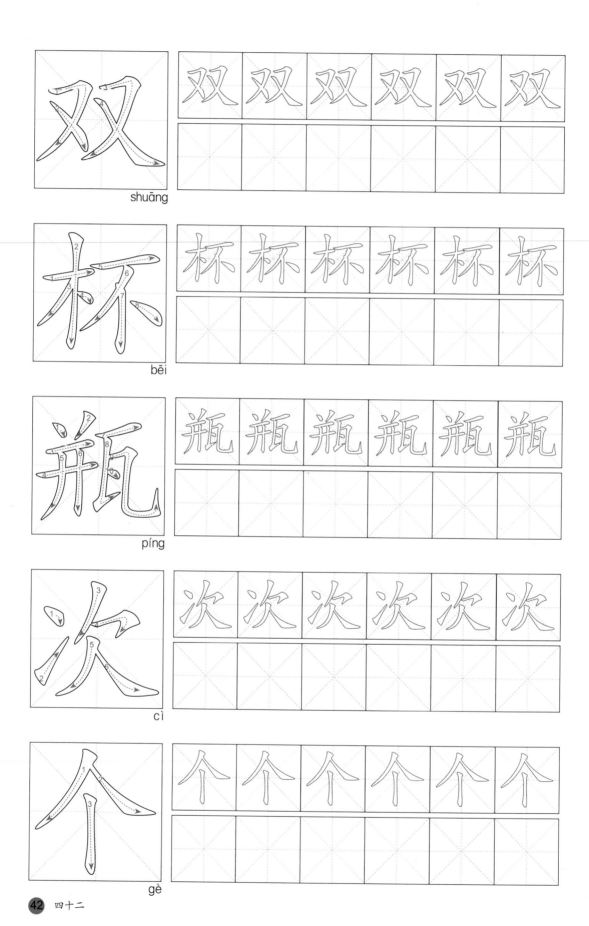

双 shuāng

杯 bēi

瓶 píng

次 cì

个 gè

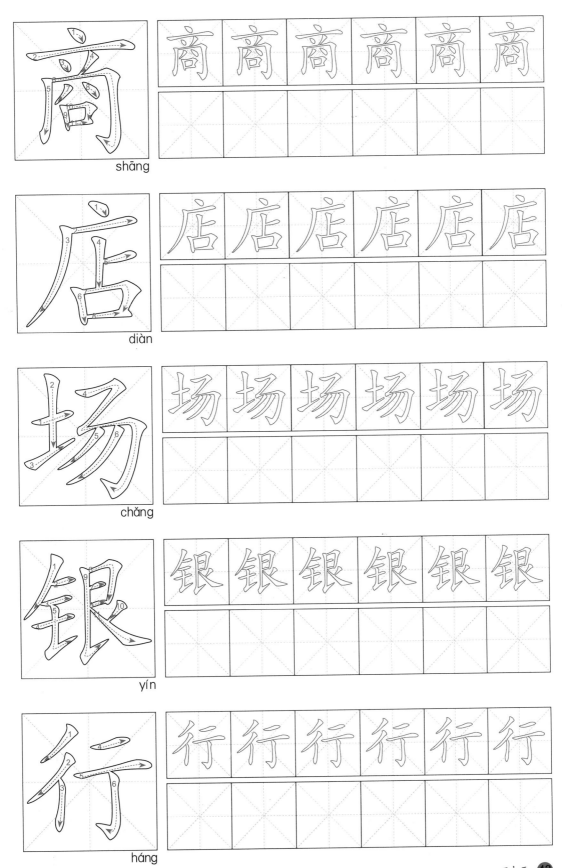

商 商 商 商 商 商

shāng

店 店 店 店 店 店

diàn

场 场 场 场 场 场

chǎng

银 银 银 银 银 银

yín

行 行 行 行 行 行

háng

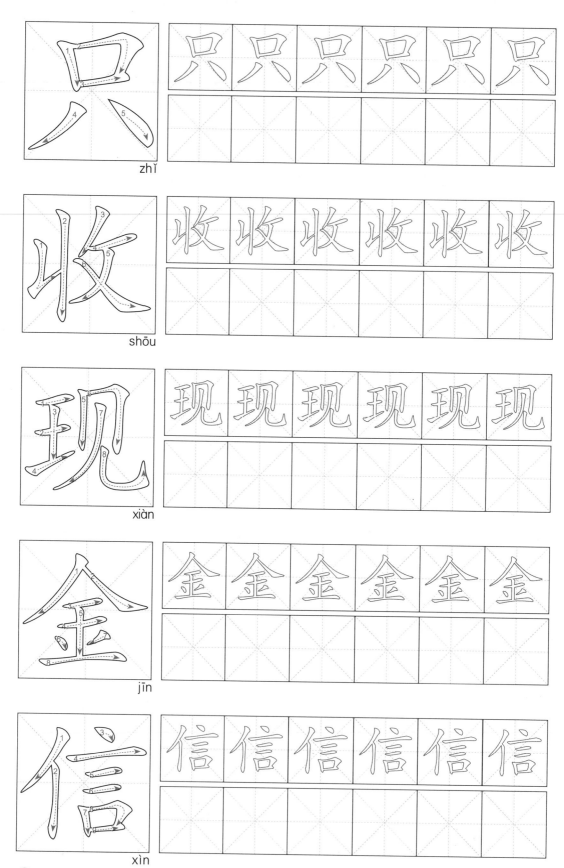

只 只 只 只 只 只

zhǐ

收 收 收 收 收 收

shōu

现 现 现 现 现 现

xiàn

金 金 金 金 金 金

jīn

信 信 信 信 信 信

xìn

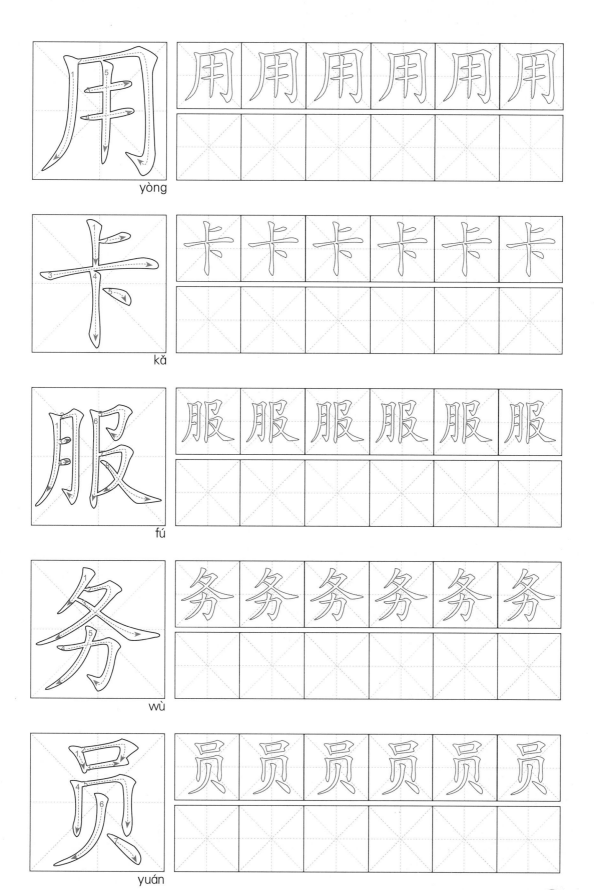

yòng

kǎ

fú

wù

yuán

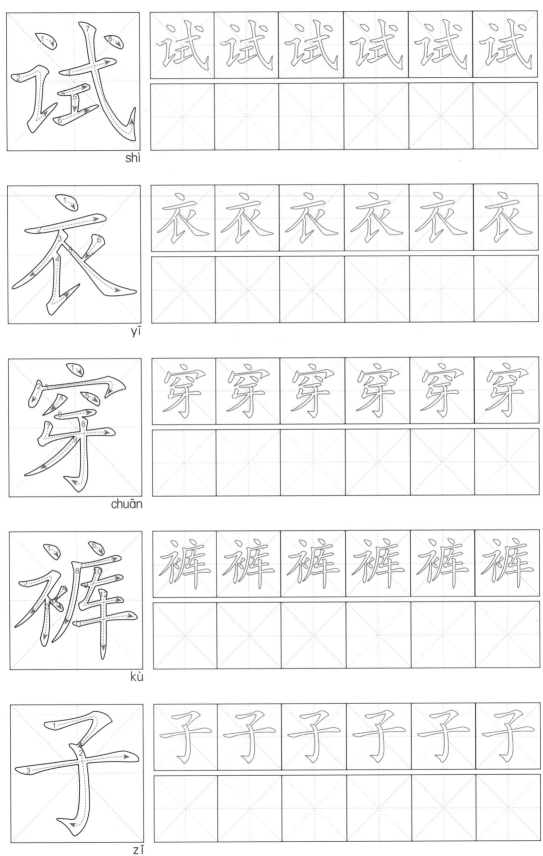

试 shì

衣 yī

穿 chuān

裤 kù

子 zǐ

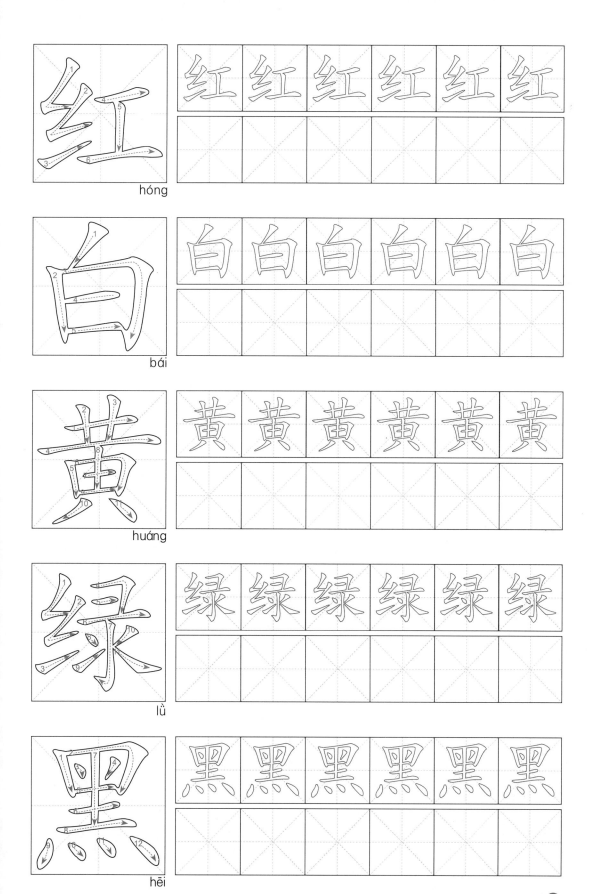

红 hóng

白 bái

黄 huáng

绿 lù

黑 hēi

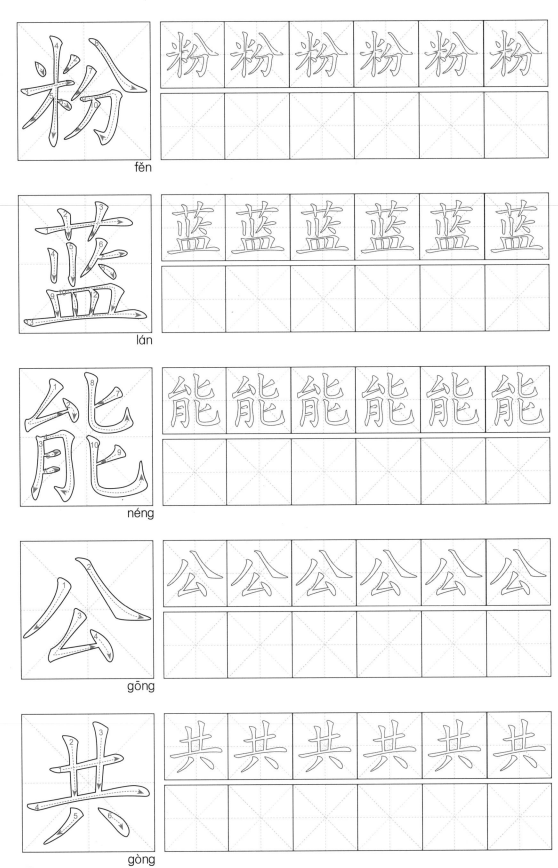

粉 粉 粉 粉 粉 粉

fěn

蓝 蓝 蓝 蓝 蓝 蓝

lán

能 能 能 能 能 能

néng

公 公 公 公 公 公

gōng

共 共 共 共 共 共

gòng

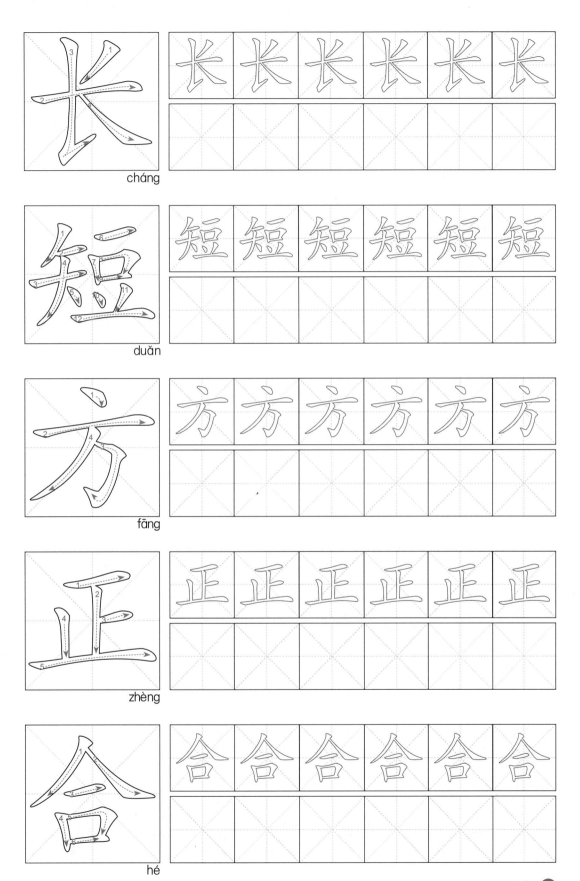

长 长 长 长 长 长

cháng

短 短 短 短 短 短

duǎn

方 方 方 方 方 方

fāng

正 正 正 正 正 正

zhèng

合 合 合 合 合 合

hé

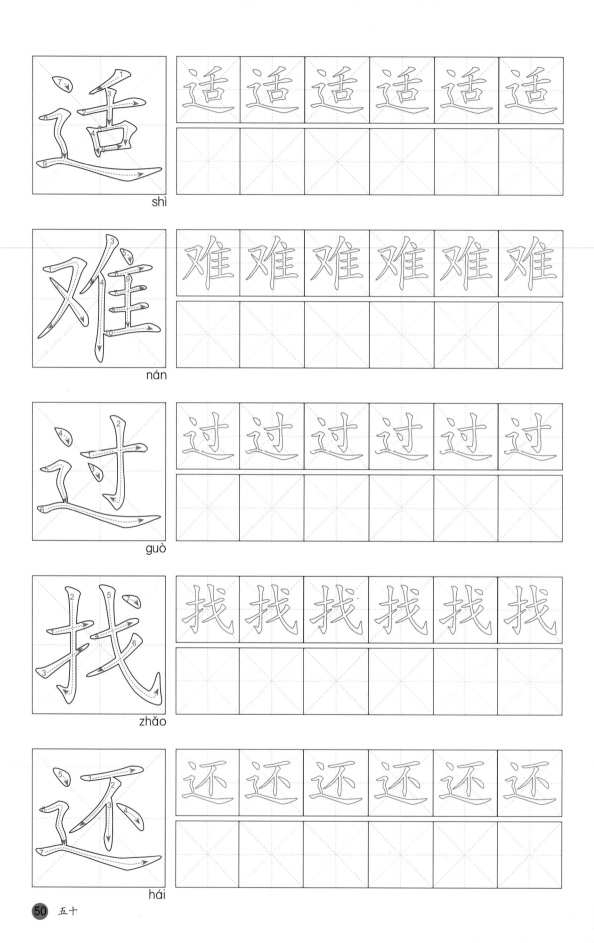

shì

nán

guò

zhǎo

hái

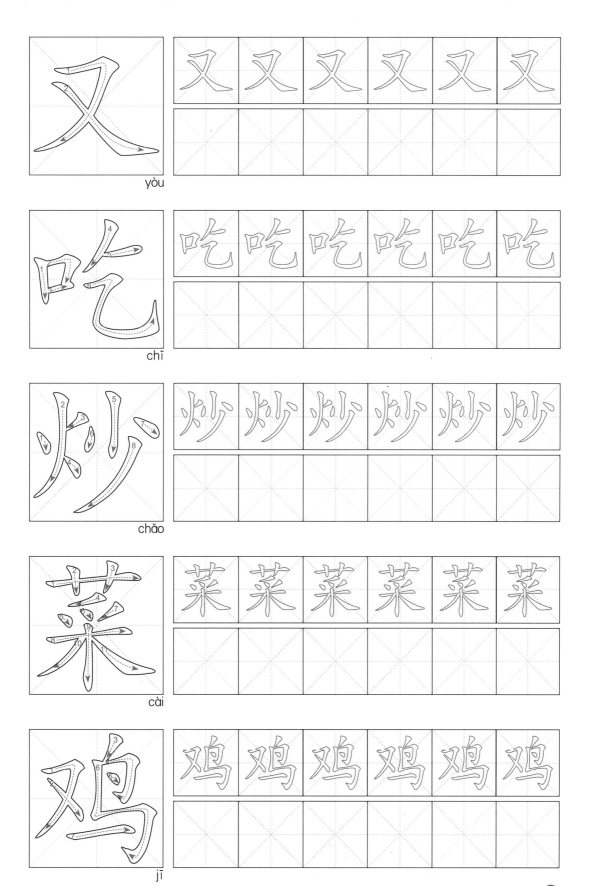

又
yòu

吃
chī

炒
chǎo

菜
cài

鸡
jī

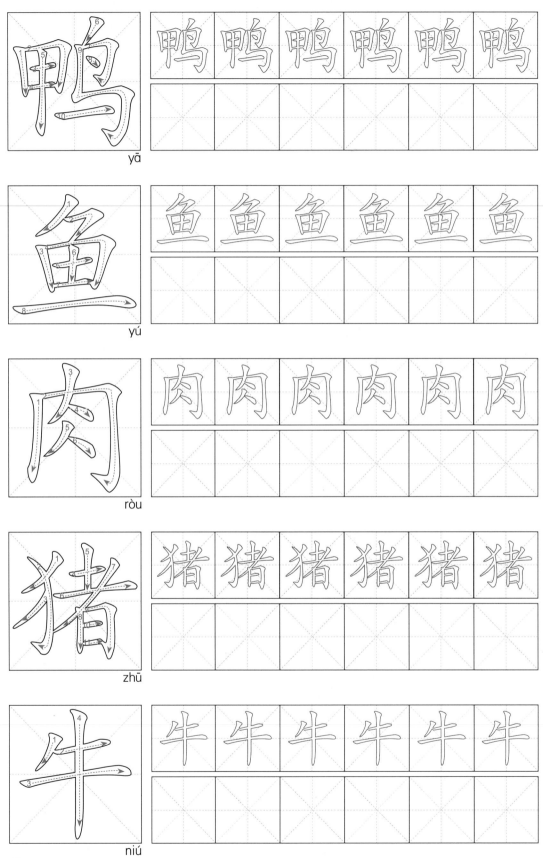

鸭 鸭 鸭 鸭 鸭 鸭

yā

鱼 鱼 鱼 鱼 鱼 鱼

yú

肉 肉 肉 肉 肉 肉

ròu

猪 猪 猪 猪 猪 猪

zhū

牛 牛 牛 牛 牛 牛

niú

向 向 向 向 向 向

xiàng

往 往 往 往 往 往

wǎng

前 前 前 前 前 前

qián

后 后 后 后 后 后

hòu

左 左 左 左 左 左

zuǒ

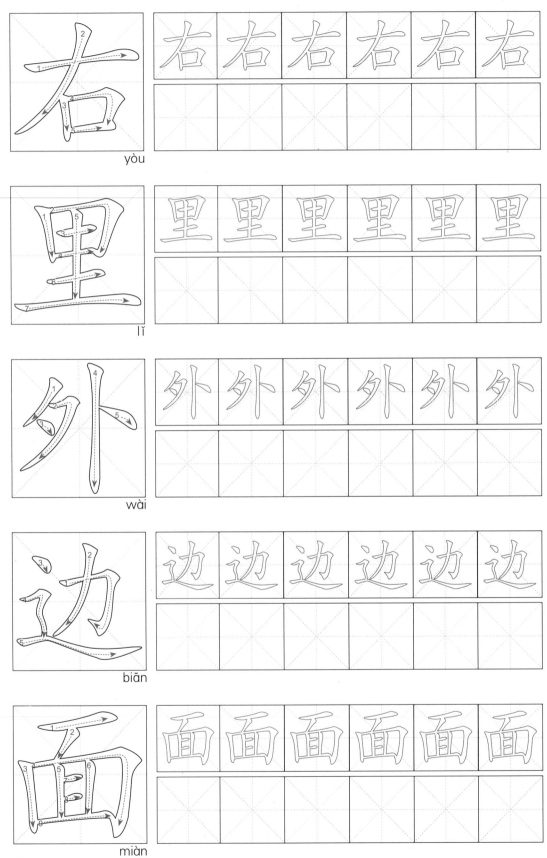

右 右 右 右 右 右 右

yòu

里 里 里 里 里 里 里

lǐ

外 外 外 外 外 外 外

wài

边 边 边 边 边 边 边

biān

面 面 面 面 面 面 面

miàn

拐 拐 拐 拐 拐 拐 拐
guǎi

到 到 到 到 到 到 到
dào

城 城 城 城 城 城 城
chéng

市 市 市 市 市 市 市
shì

完 完 完 完 完 完 完
wán

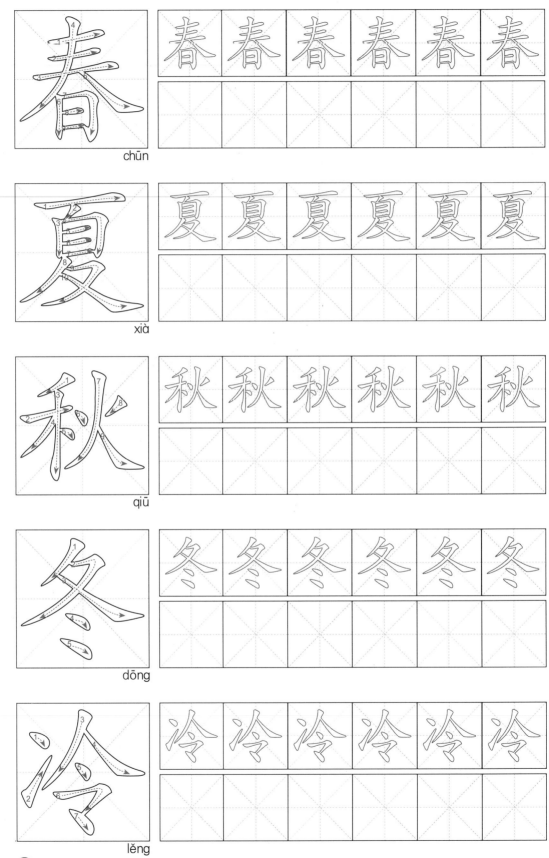

春 chūn

夏 xià

秋 qiū

冬 dōng

冷 lěng

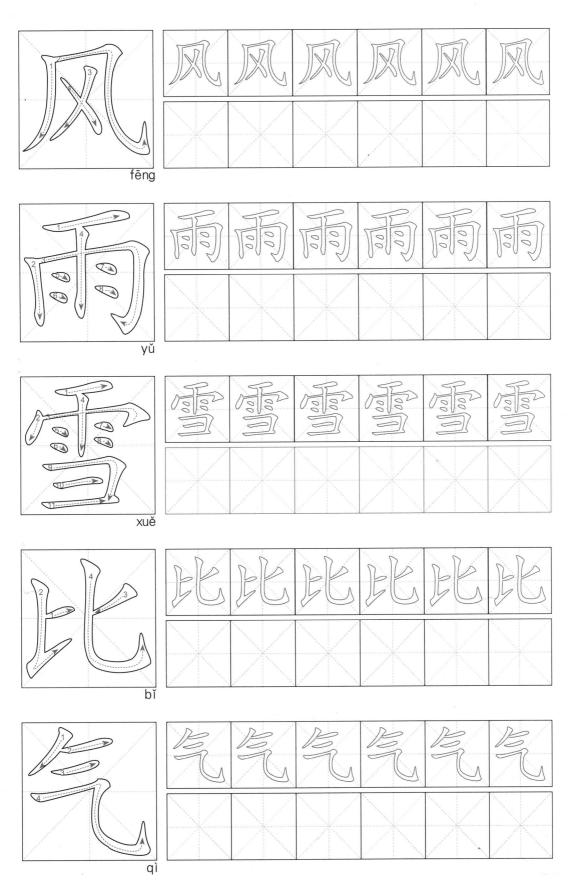

风 风 风 风 风 风 风
fēng

雨 雨 雨 雨 雨 雨 雨
yǔ

雪 雪 雪 雪 雪 雪 雪
xuě

比 比 比 比 比 比 比
bǐ

气 气 气 气 气 气 气
qì

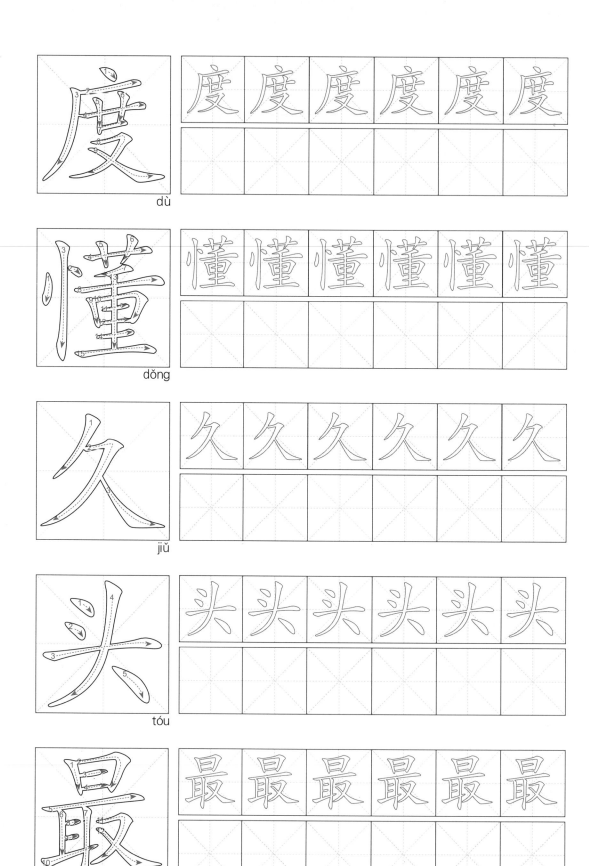

度 度 度 度 度 度 度

dù

懂 懂 懂 懂 懂 懂 懂

dǒng

久 久 久 久 久 久 久

jiǔ

头 头 头 头 头 头 头

tóu

最 最 最 最 最 最 最

zuì

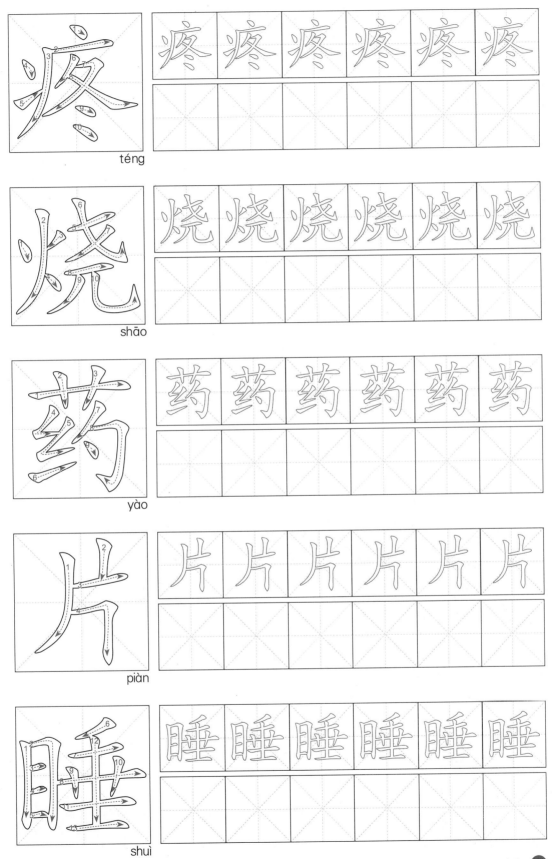

疼　疼　疼　疼　疼　疼　疼

téng

烧　烧　烧　烧　烧　烧　烧

shāo

药　药　药　药　药　药　药

yào

片　片　片　片　片　片　片

piàn

睡　睡　睡　睡　睡　睡　睡

shuì

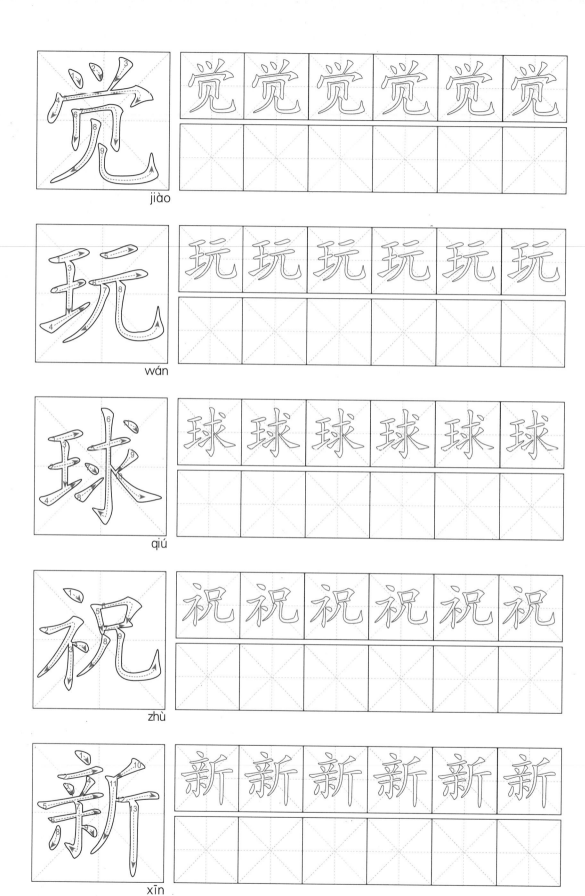

觉 觉 觉 觉 觉 觉

jiào

玩 玩 玩 玩 玩 玩

wán

球 球 球 球 球 球

qiú

祝 祝 祝 祝 祝 祝

zhù

新 新 新 新 新 新

xīn

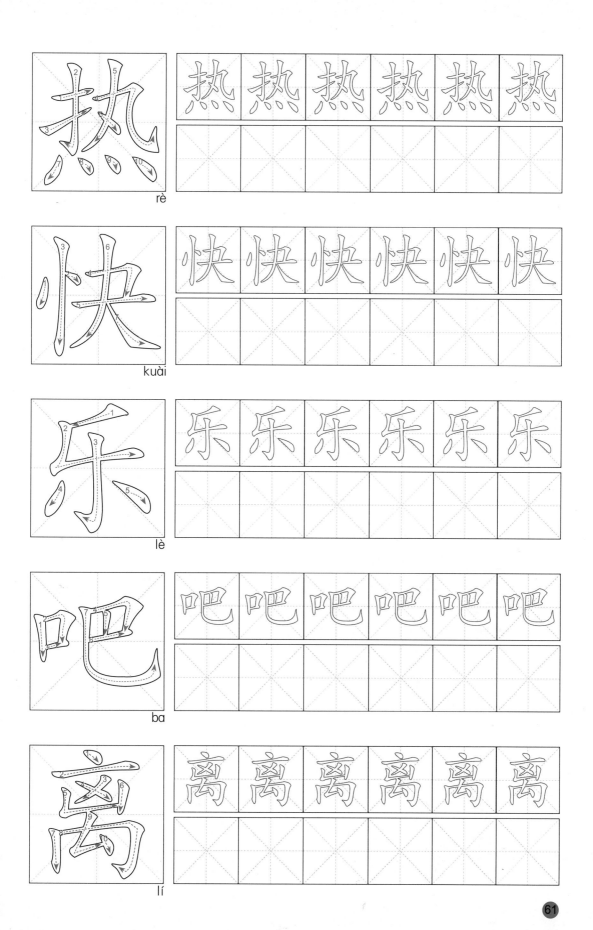

热 rè

快 kuài

乐 lè

吧 ba

离 lí

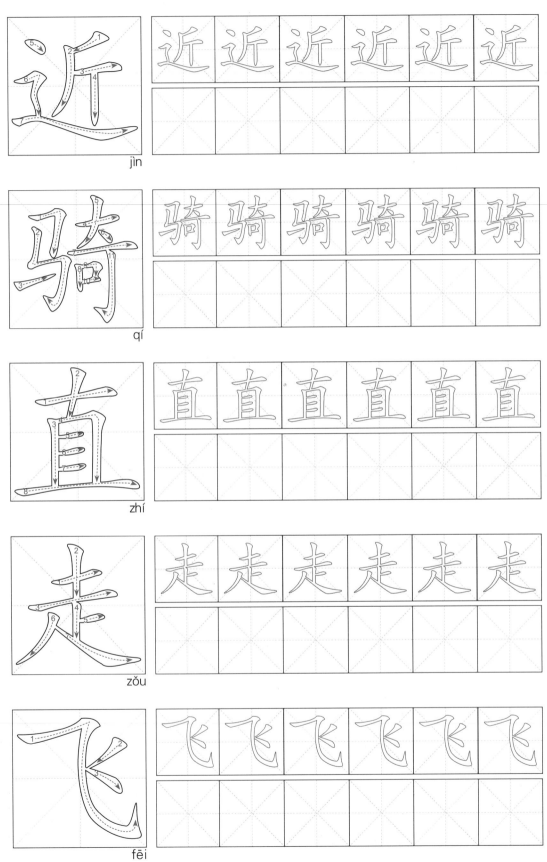

近 jìn

骑 qí

直 zhí

走 zǒu

飞 fēi

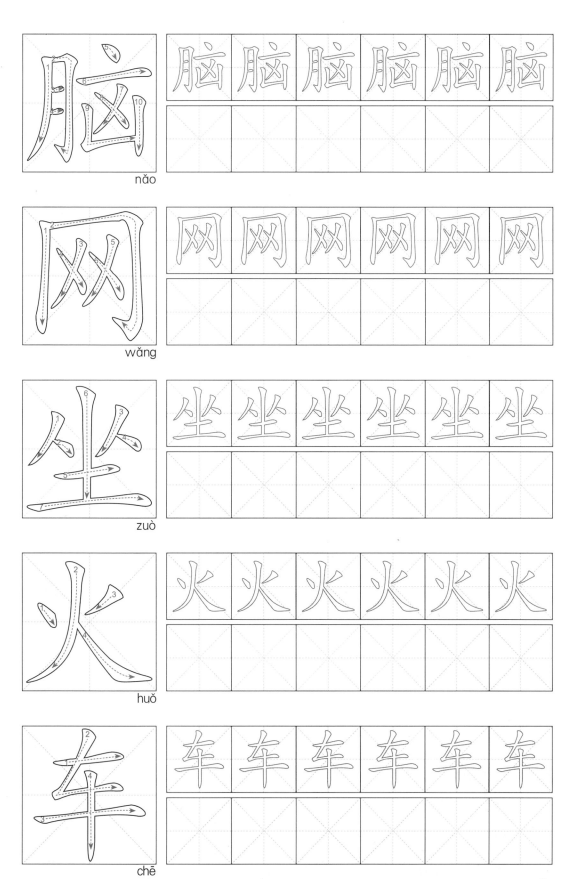

脑　脑　脑　脑　脑　脑

nǎo

网　网　网　网　网　网

wǎng

坐　坐　坐　坐　坐　坐

zuò

火　火　火　火　火　火

huǒ

车　车　车　车　车　车

chē

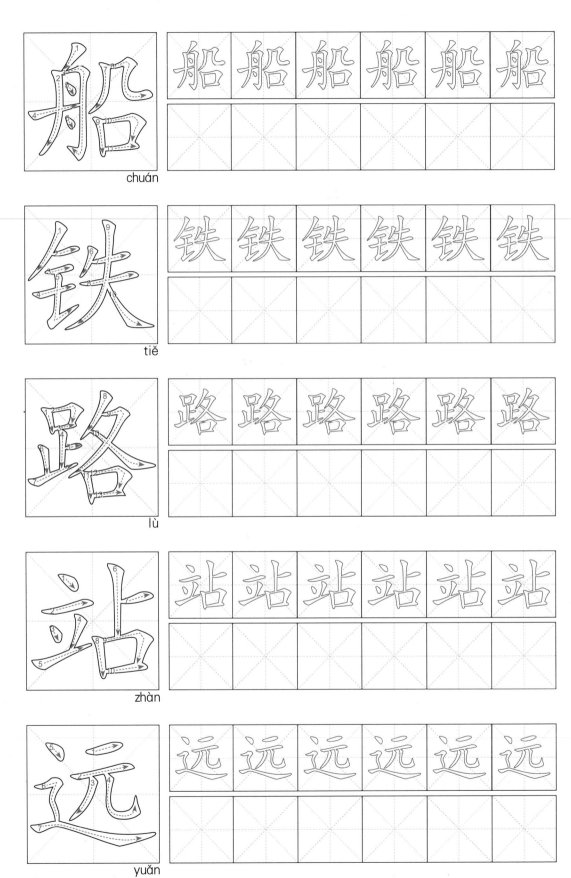

船 chuán

铁 tiě

路 lù

站 zhàn

远 yuǎn

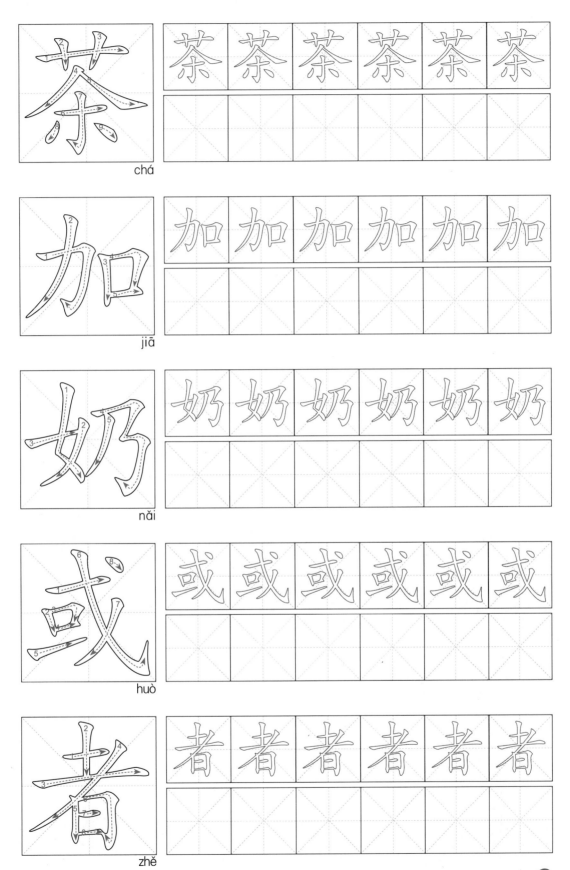

茶 chá

加 jiā

奶 nǎi

或 huò

者 zhě

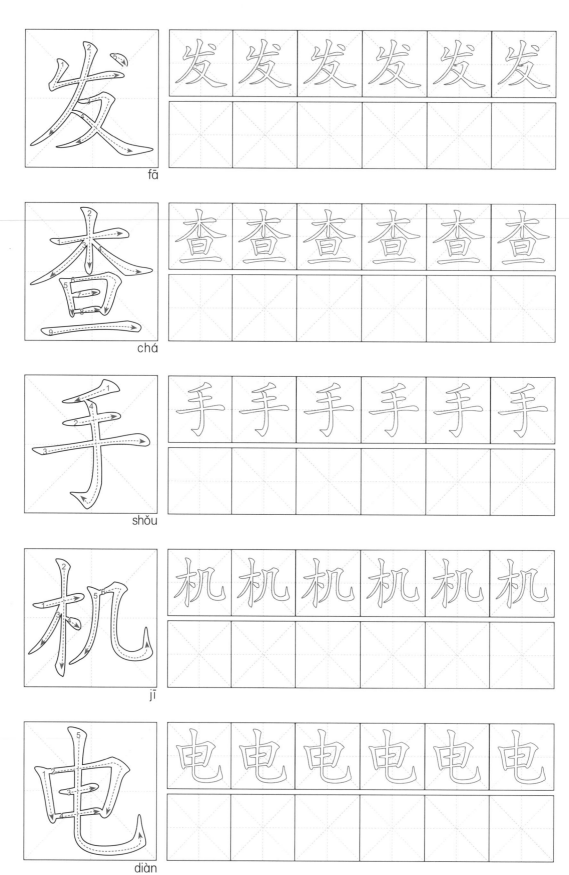

发 fā

查 chá

手 shǒu

机 jī

电 diàn

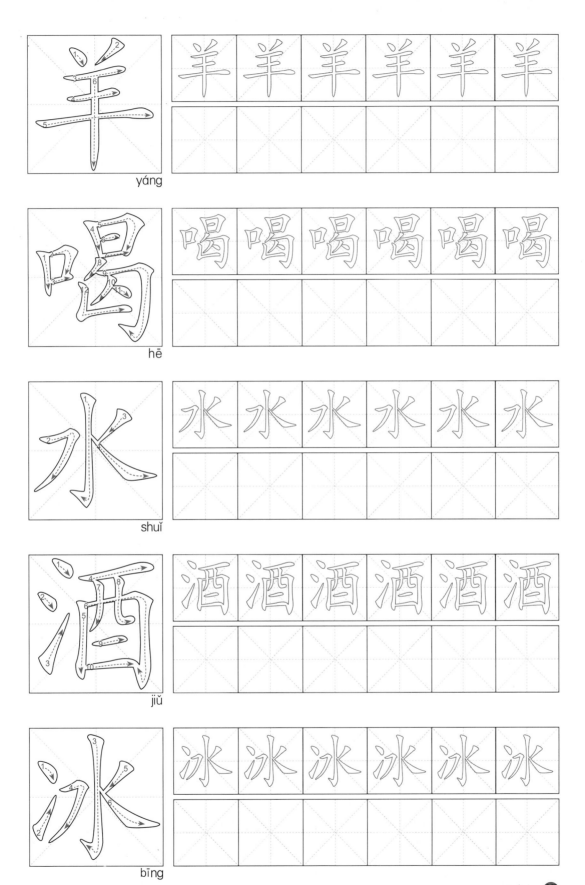

羊 羊 羊 羊 羊 羊

yáng

喝 喝 喝 喝 喝 喝

hē

水 水 水 水 水 水

shuǐ

酒 酒 酒 酒 酒 酒

jiǔ

冰 冰 冰 冰 冰 冰

bīng

Flash Cards for 150 words

汉字卡片（150个）

hànzì　　kǎpiàn　（yībǎi wǔshí gè)

tā *he, him* 003	**wǒ** *I, me* 002	**nǐ** *you* 001
nín *you (polite)* 006	**mén** *(plural marker)* 005	**tā** *she, her* 004
hěn *very* 009	**nà** *that* 008	**zhè** *this* 007
dà *big, old* 012	**hǎo** *good, well* 011	**máng** *busy* 010

小 013
多 014
少 015
冷 016
热 017
红 018
白 019
黑 020
新 021
不 022
最 023
也 024

shǎo *less* — 015	**duō** *lot, more* — 014	**xiǎo** *small, young* — 013
hóng *red* — 018	**rè** *hot* — 017	**lěng** *cold* — 016
xīn *new* — 021	**hēi** *black* — 020	**bái** *white* — 019
yě *also, too* — 024	**zuì** *most* — 023	**bù** *no, not* — 022

都 025
常 026
每 027
的 028
和 029
个 030
了 031
过 032
请 033
问 034
叫 035
是 036

měi *every* `027`	**cháng** *often* `026`	**dōu** *both, all* `025`
gè *(measure word)* `030`	**hé** *and* `029`	**de** *(particle for possessive)* `028`
qǐng *please* `033`	**guò** *to pass, to spend* `032`	**le** *(particle for past)* `031`
shì *to be* `036`	**jiào** *call, to be called* `035`	**wèn** *to ask* `034`

学 037	说 038	出 039
来 040	进 041	去 042
回 043	没 044	有 045
看 046	换 047	想 048

chū *out* 039	**shuō** *to speak* 038	**xué** *to learn* 037
qù *to go* 042	**jìn** *to enter; in* 041	**lái** *to come* 040
yǒu *to have* 045	**méi** *not ,don't/doesn't* 044	**huí** *to return* 043
xiǎng *to think* 048	**huàn** *to change; exchange* 047	**kàn** *to look, to watch* 046

要 049
打 050
给 051
转 052
让 053
会 054
听 055
做 056
买 057
卖 058
收 059
试 060

gěi *to give; for, to* ₀₅₁	**dǎ** *to play; to beat* ₀₅₀	**yào** *to want* ₀₄₉
huì *can, be able to* ₀₅₄	**ràng** *to let, to allow* ₀₅₃	**zhuǎn** *to turn; pass on* ₀₅₂
mǎi *to buy* ₀₅₇	**zuò** *to do, to make* ₀₅₆	**tīng** *to listen* ₀₅₅
shì *to try* ₀₆₀	**shōu** *to receive, to accept* ₀₅₉	**mài** *to sell* ₀₅₈

zhǎo *to look for* 063	**néng** *can, be able to* 062	**chuān** *to wear* 061
fā *to send* 066	**hē** *to drink* 065	**chī** *to eat* 064
zǒu *to walk, to leave* 069	**dào** *to arrive, to reach* 068	**zuò** *to sit* 067
xiě *to write* 072	**zài** *to be in/at* 071	**zhù** *to live, to stay* 070

英 法 国
人 汉 语
话 今 天
昨 明 生

guó	fǎ	yīng
country, nation	law	hero
075	074	073

yǔ	hàn	rén
language	Chinese	person, people
078	077	076

tiān	jīn	huà
day, sky, heaven	today	talk, dialect
081	080	079

shēng	míng	zuó
to be born	tomorrow; bright	yesterday
084	083	082

日 085	月 086	年 087
号 088	名 089	字 090
点 091	分 092	早 093
晚 094	饭 095	上 096

nián *year* 087	yuè *month, moon* 086	rì *day, sun* 085
zì *character* 090	míng *name* 089	hào *number, date* 088
zǎo *early* 093	fēn *minute* 092	diǎn *o'clock; to order* 091
shàng *up, above* 096	fàn *meal, cooked rice* 095	wǎn *late* 094

中 097	下 098	午 099
家 100	男 101	女 102
儿 103	子 104	爸 105
妈 106	哥 107	姐 108

wǔ *noon* 099	**xià** *under, below* 098	**zhōng** *middle, central* 097
nǔ *female* 102	**nán** *male* 101	**jiā** *home, family* 100
bà *dad* 105	**zǐ** *children, son* 104	**ér** *child;* *(r-ending retroflexion)* 103
jiě *elder sister* 108	**gē** *elder brother* 107	**mā** *mum* 106

弟 109
妹 110
书 111
同 112
事 113
班 114
课 115
钱 116
电 117
影 118
视 119
脑 120

shū *book* 111	**mèi** *younger sister* 110	**dì** *younger brother* 109
bān *class, duty* 114	**shì** *thing, matter* 113	**tóng** *same, together* 112
diàn *electricity* 117	**qián** *money* 116	**kè** *lesson, course* 115
nǎo *brain* 120	**shì** *vision* 119	**yǐng** *image* 118

网 121

地 122

图 123

商 124

店 125

场 126

球 127

医 128

院 129

车 130

东 131

西 132

tú *picture, map* 123	**dì** *earth, place* 122	**wǎng** *net* 121
chǎng *market, ground* 126	**diàn** *shop, store* 125	**shāng** *business, commerce* 124
yuàn *courtyard* 129	**yī** *medicine, medical* 128	**qiú** *ball* 127
xī *west* 132	**dōng** *east* 131	**chē** *vehicle* 130

酒 133

水 134

样 135

谁 136

几 137

哪 138

吗 139

yàng *kind, type* 135	**shuǐ** *water* 134	**jiǔ** *alcohol* 133
nǎ *which* 138	**jǐ** *how many* 137	**shuí** *who, whom* 136
		ma *(question mark)* 139

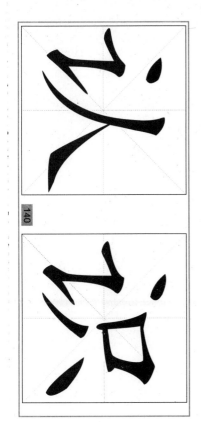

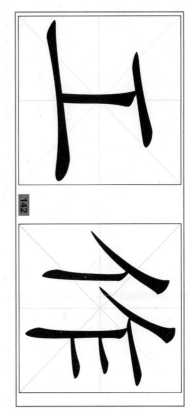

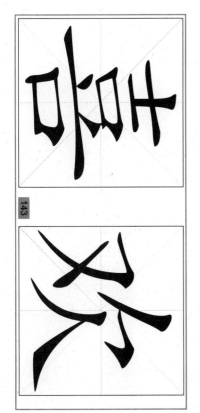

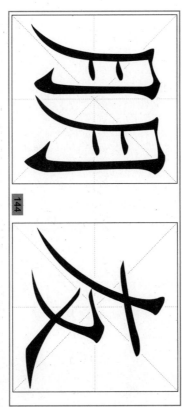

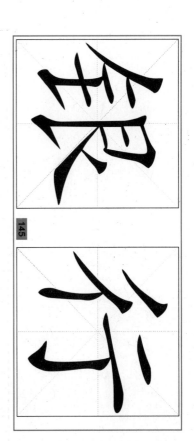

142 gōngzuò *work, job*	**145** yínháng *bank*
141 zhīdào *to know; be aware of*	**144** péngyou *friend*
140 rènshi *to know, to recognize*	**143** xǐhuan *to like; be fond of*

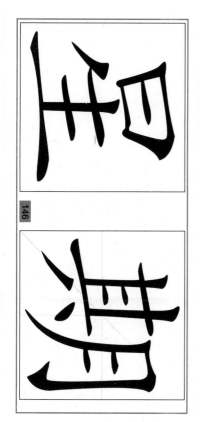

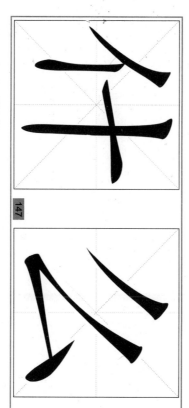

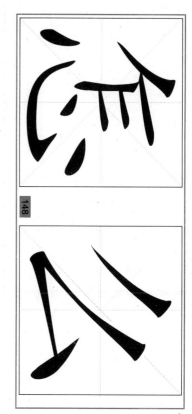

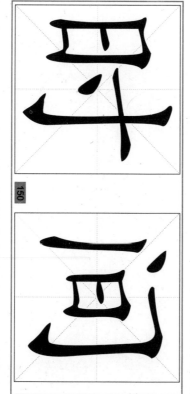

zěnme

how

shénme

what

xīngqī

week

shíjiān

time

shíhou

time, while